ENWAU

Rhai o ysgrifau Ditectif Geiriau
yn y
Western Mail

Bedwyr Lewis Jones

GWASG CARREG GWALCH

Llyfrau Llafar Gwlad

Golygydd Llyfrau Llafar Gwlad:
John Owen Huws

Argraffiad Cyntaf: Mai 1991

Rhif Llyfr Safonol Rhyngwladol: 0-86381-182-5

Y lluniau drwy garedigrwydd
Prifysgol Caergrawnt.

Clawr: Anne Lloyd Morris

Cyhoeddwyd ac argraffwyd gan Wasg Carreg Gwalch,
Capel Garmon, Llanrwst, Gwynedd.
☎ (0690) 710261

CYNNWYS

RHAGAIR

Robin Reeves a John Cosslett sy'n gyfrifol am y llyfryn yma. Robin Reeves a'm gwahoddodd i sgrifennu ysgrif Gymraeg wythnosol i'r *Western Mail* dan y pennawd 'Ditectif Geiriau' a John Coslett a ofalodd fy mod i'n gwneud hynny: fo fu wrthi'n pwnio ac yn cynnwys, i wneud yn siŵr fy mod i'n cyflawni f'addewid mewn da bryd bob wythnos. Diolch yn gywir iawn i'r ddau ohonyn nhw am eu nawdd a'u hamynedd, ac i berchnogion y *Western Mail* am adael imi gyhoeddi fersiwn o'r ysgrifau'n llyfryn.

Wrth sgrifennu'r ysgrifau roeddwn i, o raid, yn pwyso'n drwm ar waith ysgolheigion eraill. Mae dau'n arbennig y dylwn eu henwi, dau o'm rhagflaenwyr yma ym Mangor. Syr Ifor Williams ydi un o'r ddau, y meistr mawr ar hanes geiriau'r Gymraeg a'r cyntaf i sgrifennu'n ddiogel ysgolheigaidd *ac* yn boblogaidd am enwau lleoedd yng Nghymru: mae ei lyfryn *Enwau Lleoedd*, Gwasg y Brython, 1945 yn gampwaith difyr. Y llall ydi'r Athro Melville Richards. Roedd ei gyfraniadau ef ar enwau trefi Cymru yn *The Names of Towns and Cities in Britain*, Gwasg Batsford, 1970 wrth fy mhen-elin bron bob wythnos, yn gymorth parod a gwybodus a dibynadwy.

Ysgrifenyddes yr Adran Gymraeg ym Mangor, Mrs Gwyneth Williams a roddodd drefn ar deipysgrif yr ysgrifau, a gwneud hynny'n drylwyr ofalus fel arfer. Can diolch iddi. Fy niolch hefyd i'm cydweithwyr yn yr Adran am ddioddef mor raslon pan oeddwn i yn eu plagio am eu barn am rai o'r ysgrifau yn y llyfryn hwn, ac i'r Dr Hywel Wyn Owen a Tomos Roberts am eu cyngor a'u cymorth.

Tachwedd 1990 — Bedwyr L. Jones

PAM WALES? PAM CYMRU?

Cymru ydi enw ein gwlad ni yn Gymraeg, ond *Wales* yn Saesneg. Mae cefndir diddorol i'r ddau enw.

Wales, i ddechrau. Mae hwnnw yn mynd yn ôl yn y pen-draw i air *walh* neu *wealh* yn golygu 'estron' mewn Germaneg, yr iaith gynnar y tyfodd Saesneg ac Almaeneg ohoni. *Walh* oedd y gair gan siaradwyr Germaneg ar y cyfandir tua dwy fil o flynyddoedd yn ôl am berson nad oedden nhw yn ei ddeall yn siarad.

Walh oedd y gair am berson yn siarad Lladin. Dyna pam mai *Walloon* ydi'r enw heddiw am y bobl yng Ngwlad Belg sy'n siarad Ffrangeg, sef un math diweddar o Ladin. 'Estron' ydi ystyr *wall* ar ddechrau'r enw. Yng ngolwg y bobl Germanaidd gynnar roedd Lladin y Belgiaid yn iaith estron.

Roedd Prydain yn llawn o bobl yn siarad iaith estron — rhai'n siarad Lladin a llawer iawn mwy yn siarad Brythoneg, sef iaith Geltaidd. *Walh* oedd y cwbl, neu *Wealas* yn y lluosog. Ffurfiau mwy diweddar ar *Wealas* ydi *Welsh* a *Wales*. Estron oeddem ni yng ngolwg y Saeson cynnar, hyd yn oed yn ein gwlad ein hunain!

Roedd yr un peth yn wir am bobl Cernyw. *Cornwealas* oedd enw'r Saeson arnyn nhw, sef y *wealas* neu'r estron oedd yn byw yn y Corn neu'r penrhyn. Yn ddiweddarach newidiodd *Cornwealas* yn *Cornwall*.

Mae'r *wall* ar ddiwedd *Cornwall* yr un gair yn y bôn â'r *wal* ar ddechrau *Wales* a'r *wall* ar ddechrau *Walloon*. Mae'r un gair hefyd â'r *wal* ar ddechrau *walnut*. Cneuan oedd yn estron i Brydain oedd *walnut*!

Mae tarddiad *Cymry*, ein henw ni arnom ein hunain, yn hollol wahanol. Lluosog *Cymro* ydi *Cymry*. Ac mae *Cymro* yn mynd yn ôl i air mewn Cymraeg cynnar cynnar, a chyn hynny mewn Brythoneg, oedd yn gyfuniad o *com* a *bro* 'ardal, tir tu fewn i ffin'. Ystyr yr enw *Cymro* ar y dechrau oedd 'gŵr o'r un fro, gŵr o wlad neu ardal tu fewn i ffin'. Ystyr *Cymry*, felly, ydi pobl o'r un fro, cydwladwyr.

Roedd *b* yn dod ar ôl yr *m* yn yr enw ar un adeg ond newidiodd *mb* yn *m* erbyn tua'r flwyddyn 600. Mae'r *mb* wedi aros yn y ffurf Ladin *Cambria*, ac o *Cambria* y Lladin y daw *Cambrian* yn Saesneg — y *Cambrian* sy'n derm am greigiau hen iawn, er enghraifft.

Mae'r *mb* yn aros yn enw *Cumbria* a *Cumberland* yng ngogledd Lloegr hefyd. Ffurfiau ar *Cymry* ydi'r enwau hyn. Gwlad y Cymry oedd Cumberland erstalwm, cyn i'r Cymry yno gael eu concro gan y Saeson. Yr adeg honno roedd pobl Cumbria yn y gogledd a phobl ein Cymru ni yn eu gweld eu hunain fel cydwladwyr. Rydyn ninnau'n dal i alw gogledd Lloegr a de'r Alban yn Hen Ogledd — ein Hen Ogledd ni.

Uwchmynydd yn Llŷn

ENWAU'R SIROEDD

GWYNEDD

Pan unwyd siroedd Môn, Caernarfon a Meirionnydd, yn yr aildrefnu a fu ar lywodraeth leol yn 1974, galwyd y sir newydd yn *Gwynedd*. Adferwyd enw un o hen deyrnasoedd pwysicaf Cymru.

Mae Gwynedd yn hen enw. Mae carreg goffa ym Mhenmachno, i'r gogledd o Fetws-y-coed, yn profi hynny — carreg goffa o tua'r flwyddyn 500. Arni yn Lladin fe dorrwyd y geiriau hyn: *Cantiori Hic Iacit Venedotis Cive*: 'Yma y gorwedd Cantiorix, dinesydd o Wynedd'. Hen ffurf ar *Gwynedd* ydi *Venedotis*, neu, a bod yn fwy manwl, hen ffurf ar *Gwyndod*, ansoddair yn golygu 'yn perthyn i Wynedd'.

Mae'r enw *Cantiorix* yr un rhwysgfawr. Hen ffurf ydi *rix* ar ei ddiwedd ar y gair Cymraeg *rhi* 'brenin'. Ystyr *Cantiorix*, felly, oedd 'brenin lluoedd'. Roedd Cantiorix, pwy bynnag ydoedd, o dras brenhinol uchel.

Mwy diddorol fyth ydi'r geiriau *Venedotis cive* a ddefnyddir i'w ddisgrifo

— *civis*, y ffurf gywir, yn air Lladin yn golygu 'dinesydd', a *Venedotis cive* yn golygu 'dinesydd o Wynedd'. Dyna ddweud wrthym fod Gwynedd fil a hanner o flynyddoedd yn ôl yn deyrnas yr oedd pobol yn ymwybodol eu bod yn perthyn iddi, yn wlad ag iddi ei hunaniaeth a'i balchder.

Beth am ei henw? Un cynnig ydi fod *Gwynedd* yn ffurf ar air Cymraeg o'r un tras â'r Wyddeleg *fine* 'llwyth, pobol yn perthyn o ran gwaed'. Os felly, enw ydoedd yn golygu casgliad o lwythau. Dyma'r esboniad gewch chi gan Syr J.E. Lloyd yn ei lyfr ar hanes Cymru.

Esboniad arall mwy cymeradwy heddiw ydi mai enw Gwyddelig oedd *Gwynedd* yn y cychwyn, yr un enw yn y bôn â *Feni*, sef un o enwau'r Gwyddelod cynnar arnyn nhw eu hunain. Ystyr yr enw *Gwynedd*, yn ôl yr esboniad yma, oedd gwlad Gwyddyl o'r enw *Vennii* neu *Feni*.

Mae'n ffaith sicr fod Gwyddyl o Iwerddon wedi ymsefydlu yng ngogledd-orllewin Cymru, yn ogystal ag yn Nyfed, ar ddiwedd y cyfnod Rhufeinig. Mae enw *Llŷn* yn cadw cof amdanyn nhw. *Le-yn* yn ddeusill oedd hen ffurf yr enw, yr un enw'n union ag enw llwyth o Wyddyl a goffeir yn rhan gyntaf enw *Leinster*.

Gwlad y Gwyddyl oedd Gwynedd hithau. Ond os mai dyna oedd hi ar un adeg, fe gafodd y Brythoniaid neu'r Hen Gymry y llaw uchaf ar y Gwyddyl dŵad hyn yn weddol gynnar. Erbyn adeg Maelgwn Gwynedd yn rhan gyntaf y chweched ganrif Gwynedd oedd y gryfaf o deyrnasoedd y Cymry.

POWYS A DYFED

Mae'r geiriau 'Tra môr yn fur i'r bur hoff bau' yn gyfarwydd inni i gyd. Ond faint ohonom ni, ys gwn i, sy'n gwybod ystyr y gair *pau* yn 'hoff bau'?

Chlywch chi neb yn defnyddio'r gair wrth sgwrsio heddiw. Mae'n air marw yn yr iaith, ac eithrio efallai mewn barddoniaeth. Ond yr oedd yn air byw yn y Gymraeg ar un adeg. Gair benthyg o'r Lladin oedd o, benthyg o'r Lladin *pagus* yn golygu 'gwlad, ardal, talaith'. Yr un *pagus* Lladin roddodd y gair *pays* yn Ffrangeg, fel yn *Pays de Galles* 'gwlad y Cymry'.

Roedd *Pagus* yn enw am ardal neu dalaith. Yr enw gan y Rhufeiniaid am y bobol oedd yn byw yn y *Pagus* oedd *Pagenses* — *Pageses* ar lafar. Ffurf Gymraeg ddiweddarach ar *Pageses* ydi *Powys*.

Ystyr *Powys* yn wreiddiol, felly, oedd y bobol oedd yn byw mewn *pagus* neu *bau* arbennig — mewn rhan neilltuol o diriogaeth llwyth y Cornovii, mae'n debyg.

Roedd hi'n duedd gyffredin mewn cyfnod cynnar i enw am bobol ddod yn enw ar y rhan o'r wlad lle'r oedden nhw'n byw. Digwyddodd hynny gydag enwau *Llŷn* a *Gwynedd*. Digwyddodd gydag enw *Dyfed* hefyd. Roedd llwyth o bobol o'r enw *Demetae* yn byw yn ne-orllewin Cymru pan ddaeth y Rhufeiniaid yma. Ffurf ddiweddarach ar enw'r bobol yma ydi Dyfed, ond does neb hyd yn hyn wedi medru esbonio tarddiad yr enw.

Enw pobol oedd Powys. Daeth yn enw ar eu tiriogaeth, a'r diriogaeth honno ar y dechrau yn cyrraedd tu draw i Gaer ac Amwythig.

Gyda llaw, yr un gair Lladin *pagus* sydd tu ôl i'r geiriau *pagan* a 'peasant'.

Un yn byw mewn *pau* neu ardal wledig oedd 'peasant'. A *pagan*? Gŵr o'r wlad oedd yntau, gŵr llai ei barch na milwyr yr Ymerodraeth. Am fod y Cristnogion cynnar yn eu hystyried eu hunain yn filwyr Crist, daeth yn arfer ganddyn nhw alw'r rhywun nad oedd yn addoli'r gwir Dduw yn *paganus* — yn *bagan*.

Ys gwn i a oedd i'r enw *Pagenses* a roddodd inni *Powys* ystyr ychydig yn ddiraddiol ar y dechrau?

GWENT

Llwyth y *Silures* — y Silwriaid — oedd yn byw yn ne-ddwyrain Cymru pan ddaeth y Rhufeiniaid yma. Roedd ganddyn nhw eu canolfan lwythol ac enw'r Rhufeiniaid ar y dref honno oedd *Venta Silurum*.

Yn yr un modd enw'r Rhufeiniaid ar ganolfan llwyth y Belgae yn ne Lloegr oedd *Venta Belgarum*. Yn achos *Venta Belgarum* gollyngwyd enw'r llwyth yn nes ymlaen, ond arhosodd yr elfen *venta* i roi *Win*- ar ddechrau enw *Winchester*.

Win, gweddill *venta*, a *chester*, gair y Saeson am dref Rufeinig, ydi'r enw

Olion Rhufeinig yng Nghaer-went

hwnnw. Gyda llaw, benthyg o'r Lladin *castra* ydi *chester*: mae'r Saesneg, fel pob iaith arall, wedi byw ar fenthyca.

Gollyngwyd *Silurum* yn *Venta Silurum* hefyd, ond arhosodd *Venta* yn siarad pobol, gan newid, wrth i'r iaith newid, yn *Gwent* yn Gymraeg. Daeth *Gwent* yn enw gwlad neu frenhiniaeth Gymreig yn y rhan yma. Ac yn naturiol galwyd hen dref y cyfnod Rhufeinig yn *Gaer-went*.

Ganrifoedd yn ddiweddarach daeth y Normaniaid a chodi castell a thref ar lan afon Gwy heb fod ymhell o Gaer-went. *Castell-gwent* oedd enw'r Cymry ar y dref newydd yma — *Cas-gwent* heddiw, gyda *castell* wedi ei dalfyrru'n *cas* fel yn *Casnewydd*.

Chepstow ydi enw'r dref yn Saesneg, enw sy'n cynnwys yr elfen *stow* 'man, lle' a *ceap* yn golygu 'marchnad'. Ystyr *Chepstow* oedd marchnadfa. Gyda llaw, yr un gair yn y bôn ydi'r *ceap* ar ddechrau *Chepstow* â'r ansoddair *cheap* 'rhad'. Lle da am fargeinion oedd Chepstow ar un adeg!

Dowch yn ôl am funud at y gair *venta* a roddodd yr enw *Gwent* inni. Roedd *Venta* yn elfen gyntaf yn enw mwy nag un dref Rufeinig ym Mhrydain a bu cryn drafod ymhlith ysgolheigion sut i'w esbonio. Mynnai Syr Ifor Williams mai hen air Brythoneg yn golygu 'maes, cae' ydoedd. Dadleuai eraill mai gair Lladin yn golygu 'marchnad' oedd *venta* yn ei gychwyn.

Crynhoir y dadleuon gan yr Athrawon A.L.F. Rivet a Colin Smith yn eu llyfr ardderchog ar *The Place-names of Roman Britain*. Tueddu y maen nhw o blaid deall *venta* fel hen air am farchnadfa a oedd hefyd yn ganolfan llwyth.

MORGANNWG

Mae *Powys, Gwent* a *Dyfed* yn bwrw'n ôl ddwy fil o flynyddoedd i ddyddiau'r Brythoniaid a'r Rhufeiniaid, cyn bod gwlad o'r enw Cymru. Mae *Gwynedd* hefyd yn hen enw, yn mynd yn ôl dros fil a hanner o flynyddoedd i gyfnod pan oedd Gwyddyl o Iwerddon yn byw mewn rhannau o orllewin Cymru.

Mae enw *Morgannwg* yn iau, er bod hwnnw'n bwrw'n ôl gryn ddeuddeg cant o flynyddoedd i'r wythfed ganrif.

Yr adeg honno roedd gŵr o'r enw Morgan ab Athrwys neu Morgan Mwynfawr (Morgan mawr-ei-gyfoeth) yn frenin ar ran helaeth o dde Cymru. Daethpwyd i alw'r wlad yr oedd ef yn ei rheoli ar ei ôl, trwy ychwanegu'r terfyniad *-wg* at ei enw.

Gwlad neu dir Morgan oedd ystyr *Morgannwg* i ddechrau, yn union fel yr oedd *Seisyllwg* ar un adeg yn enw ar wlad brenin o'r enw Seisyll a lwyddodd i gydio Ystrad Tywi wrth Geredigion. *Morgannwg* oedd un enw ar diriogaeth Morgan. Enw arall arni oedd *Gwlad Morgan* a ffurf ddiweddarach ar hwnnw ydi *Glamorgan*.

Mae'n werth pwysleisio mai enw Cymraeg, ac nid enw Saesneg, ydi *Glamorgan* yn ei darddiad!

Cwm Rhondda ym Morgannwg

CLWYD

Clwyd ydi'r unig un o siroedd newydd 1974 na chafodd enw un o wledydd neu lwythau cynnar Cymru. Enw afon gafodd y sir yma, afon sy'n codi ar lethrau Craig Bron Bannog yng Nghoedwig Clocaenog ac yn llifo i'r môr yn y Rhyl. Ond beth am yr enw?

Mae gair cyffredin *clwyd* sy'n golygu giat, pren y bydd ieir yn sefyll arno i glwydo am y nos, etc. Y gair hwn, yn ôl rhai, roddodd i'r afon ei henw. Ond sut, meddech chi?

Dychmygwch ryd i groesi'r afon mewn hen oes. Mae'n hawdd meddwl am glwydi — *hurdles* yn Saesneg — wedi eu gosod o boptu'r rhyd i wneud croesi yn y fan honno'n fwy diogel. Dyfalwch wedyn i'r rhyd gael ei galw'n *Rhyd-glwyd* ac yna i ran o enw'r rhyd ddod yn enw ar yr afon.

Mae'n esboniad posib. Wedi'r cwbwl, mewn ffordd ddigon tebyg y cafodd tref Dulyn ei henw Gwyddeleg, *Baile Átha Cliath*. Tref ydi ystyr *baile* mewn Gwyddeleg, rhyd ydi *átha*, a clwyd ydi *cliath*. Ystyr *Baile Átha Cliath*, felly, ydi Tref Rhydyclwydi.

Atgof am ryw stori mewn Gwyddeleg yn esbonio enw *Baile Átha Cliath* sydd tu ôl i'r sôn yn chwedl Branwen am Bendigeidfran yn dod at afon yn Iwerddon heb bont i'w chroesi. 'A fo ben, bid bont', meddai Bendigeidfran. Yna, yn ôl y chwedl, gorweddodd ef ei hun ar draws yr afon, gosodwyd clwydi arno, a cherddodd ei filwyr dros ei gorff i'r ochr arall.

Ydi, mae'n bosib mai enw coll fel *Rhyd-glwyd* roddodd i afon Clwyd ac i sir Clwyd eu henwau. Ac eto, mae'n rhaid i mi gyfaddef nad ydw i'n hollol hapus rywsut ar yr esboniad, er nad oes gen i ddim byd gwell i'w gynnig.

ENWAU TREFI — YN BENNAF

ABERAFAN

Aber ydi'r gair yn Gymraeg am fan lle mae afon yn llifo i'r môr, neu lle mae afon lai yn llifo i afon fwy. Mae'n elfen gyffredin iawn ar ddechrau enwau lleoedd yng Nghymru. Fe'i ceir hefyd mewn rhannau o'r Alban — er enghraifft, yn *Aberdeen* wrth geg Afon Don, ac yn *Arbroath*. *Aberbrothog* oedd yr hen ffurf ar enw *Arbroath*, sef y fan lle mae Brothock Burn yn llifo i'r môr.

Aberafan ydi'r fan lle mae Afon Afan yn llifo i'r môr. Digwydd y ffurfiau *Afan* ac *Afen* ar enw'r afon yn gynnar ac nid oes neb yn gwybod yn iawn sut i'w esbonio.

Tybiodd rhai mai ffurf ar y gair *afon* oedd *Afan*. Enwir 'Ecclesia de Abbona', hynny ydi, Eglwys Afon, mor gynnar â 1348, ac mae'r hynafiaethydd o Sais John Leland yn sôn am *Aber-Avon* yn 1536-1539. Ond er bod y ffurf *Aberavon* yn hen, ffurf wallus ydi hi. *Aberafan* ydi'r enw iawn.

Enw diweddar ydi *Port Talbot*. Cafodd ei fathu tua 1836 pan godwyd dociau newydd i allforio glo a haearn wrth aber Afon Afan. Enwyd y dociau ar ôl y teulu Talbot, teulu Saesneg oedd trwy briodas wedi etifeddu hen stadau Margam a Phen-rhys.

Mae *Port Talbot* yn un o'r enwau Saesneg yn *Port* a grewyd yn ystod y ganrif ddiwetha pan agorwyd porthladdoedd newydd ar hyd glannau Cymru.

Dyna *Port Penrhyn* ym Mangor, y porthladd a adeiladwyd yn Abercegin i allforio llechi o Chwarel y Penrhyn. Dyna *Port Dinorwic* yn y Felinheli i allforio llechi o Chwarel Dinorwig. A dyna *Portmadoc* a enwyd ar ôl William Alexander Maddocks, y gŵr a barodd godi cob ar draws y Traeth Mawr ac yna'n ddiweddarach wneud porthladd newydd ym mhen y cob.

Enw estron arall o'r un brid ydi *Port Meirion*, enw'r pentref ffug-Eidalaidd a gododd Clough Williams-Ellis ar ymyl y Traeth Bach ger *Penrhyndeudraeth*, y penrhyn rhwng y Traeth Bach a'r Traeth Mawr, hynny ydi, penrhyn y ddau draeth.

ABERGWAUN; ABERDAUGLEDDAU

Aber neu geg yr afon Gwaun ydi ystyr yr enw *Abergwaun*, wrth gwrs. Ond beth am *Fishguard*, enw arall y dre?

Mae *Fishguard* yn edrych yn Seisnig ddigon i ni. Ond y gwir amdani ydi mai un o'r enwau Sgandinafaidd sy'n digwydd ar hyd glannau môr Cymru ydi hwn. Mae'n mynd yn ôl i air Sgandinafeg *fishigarthr*, cyfuniad o *fish* a gair *garthr* sy'n cyfateb i'r Saesneg 'yard'.

Ystyr *fishigarthr* oedd lle wedi ei gau i mewn i ddal pysgod — hynny ydi, math o gored — neu ynteu iard lle'r arferid sychu pysgod ar ôl eu dal. Pun o'r ddau, tybed, oedd yn Abergwaun?

Aberdaugleddau

Enwau Cymraeg a Sgandinafaidd cwbwl annibynnol ar ei gilydd ydi Abergwaun a Fishguard. Mae'r un peth yn wir, mae'n ymddangos, am Aberdaugleddau a Milford.

Mae dwy afon Cleddau — Cleddau Wen a Chleddau Ddu, a'r ddwy afon, neu'r ddau gleddyf, yn ymuno i lifo i'r môr yn *Aberdaugleddau*. Mae'r enw hwnnw, felly, yn ei esbonio ei hun. Ond pam *Milford*?

Fe allasech feddwl mai cyfuniad ydi hwn o ddau air Saesneg, *mill* a *ford*. Ond mae'r ffurfiau cynharaf sydd ar glawr — *Milverd* 1191 a *Mellferth* 1207 — yn peri amau'r esboniad hwn. Ar sail y ffurfiau cynnar hyn mae ysgolheigion sy'n astudio enwau lleoedd o'r farn mai'r gair Sgandinafeg *melr* 'banc tywod' a'r gair *fiord* a roddodd fod i'r enw Milford. Enw ar yr aber ydi yntau, ac nid enw rhyd.

Yn ddiweddarach, ar ôl colli golwg ar y ffaith fod *fiord* yn rhan o'r enw, ychwanegwyd *Haven* i roi'r *Milford Haven* sy'n gyfarwydd i ni. Gyda llaw, mae Milford Sound yn enw ar ffiord yn ardal Otago yn Seland Newydd.

ABERHONDDU

Mae *aber* yn air am y fan lle mae afon yn llifo i'r môr neu lle mae afon lai yn llifo i afon fwy. Yr ail ystyr sy'n *Aberhonddu*. Mae'r enw'n disgrifio'r fan lle mae afon Honddu yn ymuno ag afon Wysg.

Ond beth am enw'r afon? *Honddu* ydi o heddiw. Yn wir, *Honddu* ydi o ers dau can mlynedd a mwy. Ond ewch yn ôl ymhellach na hynny ac fe welwch mai *Hoddni* oedd yr hen ffurf. Ffurf ar y gair *hawdd* yw'r *Hodd* ar ei ddechrau, yr un *hawdd* yn golygu 'dymunol, hyfryd' ag sy'n y gair 'hawddfyd'. Disgrifio afon hyfryd, braf y mae'r enw *Hoddni*.

Fe allai *ddn* ynghanol gair newid yn *ndd* ar lafar yn Gymraeg — newid sy'n cael ei alw'n drawsosod neu 'metathesis'. Dyna'r enw *Rhoddni* a newidiodd ymhen amser yn *Rhondda*. Yn yr un modd newidiodd *Hoddni* yn *Honddi*, ac yna trôdd yr *-i* ar y diwedd yn *-u-* — am i rywun feddwl mai *du* oedd elfen olaf yr enw, mae'n debyg.

Brecon ydi'r enw yn Saesneg. Gŵr o'r enw Brychan oedd brenin yr ardal hon yn y bumed ganrif, gŵr o dras Gwyddelig. Yn Gymraeg mewn cyfnod cynnar fe ellid ychwanegu terfyniad *-iog* at enw personol i lunio enw am dir yn perthyn i'r person hwnnw. Ychwanegwyd *-iog* at enw Brychan a dyna roi *Brycheiniog*, enw yn golygu 'tir Brychan'.

Beth am *Brecon*? Ffurf Saesneg ar *Brychan* ydi hwnnw. A ffurf Saesneg ar *Brycheiniog* ydi *Brecknock*.

ABERTAWE

Abertawe ydi'r fan lle mae afon Tawe yn llifo i'r môr. *Abertawy* oedd yr hen ffurf am mai *Tawy* — gydag *-y* ar ei ddiwedd — oedd hen enw'r afon.

Beth am *Swansea*, yr enw Saesneg ar Abertawe? Y ffaith syml ydi nad enw Saesneg mohono o gwbwl yn ei darddiad ond yn hytrach enw Sgandinafaidd, cyfuniaid o enw personol Sgandinafaidd *Sveinn* ac elfen *ey* yn golygu 'ynys'.

Fil o flynyddoedd yn ôl gwyddai'r bobol oedd yn byw ar hyd arfordir Cymry yn dda am wŷr Sgandinafia neu'r Feicingiaid. Roedden nhw'n bla i bobol y glannau, yn hwylio yn eu llongau pigfain o'u teyrnasoedd yn ardal Dulyn ac yn ynysoedd gorllewin yr Alban ac yn ymosod ar ganolfannau, gan anrheithio mynachlogydd ac eglwysi a chipio trigolion i'w gwerthu'n gaethweision.

Rhai o'r Feicingiaid hyn a enwodd geg afon Tawe yn 'ynys Sveinn' ar ôl un o'u harweinwyr. Yr adeg honno roedd cwrs afon Tawe tua'i haber yn wahanol iawn i'r hyn ydyw heddiw. Roedd rhyw fath o ynys yno a'r afon yn fforchio o'i hamgylch.

Pan ddaeth y Normaniaid i'r ardal rywdro tua 1100, neu'n fuan wedyn, a chodi tref a chastell, fe allasen nhw fod wedi mabwysiadu'r enw Cymraeg daearyddol Abertawe. Ond nid dyna wnaethon nhw. Yn hytrach cymerodd y Norman yn enw Sgandinafaidd a chydag amser trodd hwnnw yn *Swansea*.

Abertawe

AMLWCH

Amlwch, ym mhen ucha Ynys Môn, ydi'r dre fwya gogleddol yng Nghymru.

Bu mwy nag un cynnig i esbonio'r enw. I John Leland, yr hynafiaethydd o Sais, bedwar cant a hanner o flynyddoedd yn ôl, *aml hwch* oedd yr ystyr — am fod yna gryn gadw moch, mae'n debyg.

Dychmygu rhyw frwydr erchyll a wnaeth eraill a dweud mai Amlwch oedd y fan lle bu *aml och*! Mae'n syndod mor hoff gan esbonwyr poblogaidd ydi gweld olion brwydrau ym mhobman. Trônt bob *ychen* mewn enw lle yn *ochain*, a phob rhan o enw a allant yn *gad* neu'n *gwaed* — a hynny heb rithyn o sail.

Na, nid *aml och* nac *aml hwch* — nac ebychiad *Am lwch*! — ydi'r esboniad ar enw Amlwch, hyd yn oed os ydi hen lyfrau'n dweud hynny. Cyfuniad ydi *Amlwch* o *am* a *llwch* — y gair bach *am* yn golygu 'o gwmpas, yn ymyl, yr ochr arall', a gair *llwch* yn golygu 'pwll' neu 'lyn'.

Mae *llwch* yn yr ystyr yma'n air diarth heddiw. Mae'n digwydd yn aml mewn hen destunau a'r argraff a gaf fi ydi ei fod yn cyfeirio at byllau merddwr yn hytrach nag at lyn dyfn go iawn. Rhyw ddŵr sefyll o beth ydi *llwch*. Fe all hefyd olygu 'lle corsiog, mwd, llaid'.

Lluosog *llwch* ydi *llychau*, a dyna'r gair sydd yn *Talyllychau*, rhwng Llambed a Llandeilo, lle mae olion abaty yn ymyl dau lyn bychan.

Roedd cefnder cyfan i'r gair *llwch* mewn Cernyweg, yr iaith debyg i Gymraeg a siaredid yng Nghernyw. Yno trodd yn *low* ac yn *loo* ar lafar. Dyna ydi *Looe* ac ail ran *Portloe* (tu draw i Mevagissey).

Yng Nghernyw hafn neu harbwr oedd ystyr *logh* — yr hyn y mae Sais yn ei alw'n 'inlet'. Dyna a ddywedir gan Oliver Padel yn ei lyfr newydd ardderchog, *A Popular Dictionary of Cornish Place-names*. Fe welais awgrymu mai 'inlet' ydi ystyr *llwch* yn *Amlwch* hefyd, a bod yr enw, felly, yn cyfeirio at yr hafn lle mae porthladd Porth Amlwch. Mae hynny'n bosib.

Ond mae'n well gen i feddwl mai *llwch* yn ei ystyr arferol yn Gymraeg sydd yma: hynny ydi, tir corsiog lle'r oedd dŵr sefyll yn cronni. Mae hen ganolbwynt Amlwch, lle mae'r eglwys, ar gwr darn o dir a oedd gynt yn bur gorsiog.

BAE COLWYN

Bae Colwyn ydi'r ail dref fwyaf yng Ngogledd Cymru, ar ôl Wrecsam.

Mae'n hawdd egluro'r *Bae* yn yr enw. Cymreigiad ydi o o'r *Bay* Saesneg a ychwanegwyd at *Colwyn* er mwyn dweud wrth ymwelwyr o Saeson fod glan môr braf yno. Mae'n mynd yn ôl i chwe neu saithdegau'r ganrif ddiwetha pan oedd arfordir Gogledd Cymru'n dechrau tyfu'n ganolfan gwyliau.

Beth am *Colwyn*? Roedd yna air *colwyn* yn Gymraeg yn golygu anifail ifanc. Fe'i ddefnyddid am gi ifanc ac yn arbennig am gi anwes. 'Cŵn bychain tlysion i wragedd — i'w difyrru' ydi diffiniad hyfryd Thomas Wiliems, Trefriw (1545/6-1622) o *colwyn* yn ei eiriadur. Mae'r gair yn digwydd hefyd mewn hen ddihareb, 'Llon colwyn o arffed ei arglwydd': mae ci'n hapus ar lin ei feistr. Ond beth sydd a wnelo hyn i gyd ag enw tref yn y Gogledd?

Yn Gymraeg fe gewch chi yn aml enwi afonydd ar ôl anifeiliaid. *Twrch*, er enghraifft, yn enw *Afon Twrch* yn Ystalyfera ac yn Llanuwchllyn; *Afon Hwch* ger Llanberis; a *banw*, gair am fochyn ifanc, yn enwau *Afon Banw* ym Maldwyn, *Afon Aman* (o Amanw) ym Morgannwg, ac *Afon Ogwen* (o Ogfanw) ym Methesda, Arfon.

Daeth *colwyn* yn enw ar nant neu afon fechan. Mae amryw ohonyn nhw — un yn codi ar lethrau'r Wyddfa ac yn llifo i lawr i Feddgelert, un yn llifo i Afon Cerist yn ymyl Caersws, ac un arall i Afon Efyrnwy yn Nyffryn Meifod.

Roedd Afon Golwyn yn ardal Llanelian-yn-Rhos hefyd — Afon Benmaen oedd enw arall arni. Daeth enw'r afon yn enw trefgordd ac ymhen amser yn enw ar drefi Hen Golwyn a Bae Colwyn.

Y BALA

Y diwrnod o'r blaen gwelais rywun yn awgrymu fod enw'r *Bala* ym Meirionnydd i'w gydio wrth y gair *baile* sy'n digwydd o hyd ac o hyd ar ddechrau enwau lleoedd *Bally-* yn y Werddon. Mae hynny'n gwbwl anghywir.

Gair Gwyddeleg ydi *baile*. Cnewyllyn ei ystyr ydi 'lle, cartref' ond gall hefyd olygu 'tref' yn yr ystyr o ran o blwy erstalwm, neu ynteu dref fel y syniwn ni amdani. Yn wir, mae *baile* mewn Gwyddeleg yn hynod o debyg o ran ystyr i'r gair *tref* yn Gymraeg.

Gair hollol wahanol ei dras a'i darddiad ydi *bala*, gair a ddefnyddid yn Gymraeg am y fan lle mae afon yn llifo allan o lyn. Dyna ydi o yn *Baladeulyn* yn Nyffryn Nantlle. Roedd yna ddau lyn yn arfer bod yn y dyffryn, cyn i rwbel o chwarel Dorothea lenwi'r isaf ohonyn nhw. Y fan lle'r oedd afon Llyfni'n llifo o'r ddau lyn oedd Baladeulyn yn wreiddiol.

Yn ardal Llanberis, eto, mae'r enwau *Glan y Bala* a *Pont y Bala* yn digwydd ar y darn tir rhwng Llyn Peris a Llyn Padarn. Afon Bala oedd enw'r afon rhwng y ddau lyn.

Ym Meirionnydd enw oedd y Bala ar y fan lle llifai afon Dyfrdwy o Lyn Tegid. Daeth yn enw ar y dref a dyfodd yn ymyl.

Gyda llaw, mewn hen, hen ddogfennau fe welwch chi weithiau alw Llyn Tegid yn *Pemblemere*. Hen air Saesneg am lyn oedd *mere* — fel yn Windermere — a gair sy'n perthyn i *môr* yn ein hiaith ni. Amrywiad ar *pebble* yn Saesneg oedd *pemble*, mae'n debyg. Fe anghofiwyd am yr enw Saesneg *Pemblemere* ers canrifoedd — drwy drugaredd.

BANGOR

Ban-gor ac nid *Bang-or* a ddywedwn. Mae hynny'n dangos inni'n syth mai cyfuniad o *ban* + *côr* ydi cychwyn yr enw.

Ystyr *côr* oedd 'rhywbeth wedi ei blethu, plethiad', fel yn y gair *cored* — gwiail wedi eu plethu i ffurfio math o gawell anferth i ddal pysgod ar lan y môr neu mewn afon. Ystyr *ban* oedd 'top, copa', fel yn enw mynydd Tal-y-fan ac, yn ei ffurf luosog, yn enw Bannau Brycheiniog.

Yr hen ffordd o wneud ffens ganrifoedd yn ôl oedd curo pyst ar eu pennau i'r ddaear ac yna plethu gwiail neu frigau rhyngddyn. Y gair am blethiad o wiail ar dop ffens o'r fath oedd *bangor* — y *côr* neu'r plethiad *ban* neu uchaf.

Roedd ffens fel hyn â *bangor* ar ei phen o amgylch y llan a sefydlodd Deiniol Sant yn Arfon, a hon yn y man a roddodd yr enw *Bangor* i'r sefydliad.

Dywedir mai Bangor yn Arfon yn ei thro, oherwydd ei bod yn ganolfan grefyddol bwysig, a barodd i lefydd eraill gael eu henwi'n Bangor. Dyna oedd barn Syr John Edward Lloyd, brenin haneswyr Cymru. 'The Caernarvonshire Bangor', meddai ef, 'was the example for other names, such as Bangor in Ulster and Bangor in Flintshire.'

Rwy'n amau ei gasgliad. Mae'n well gen i gredu fod gair *bangor* yn enw

Bangor

cyffredin, lle bynnag y siaredid Cymraeg, am ffens neu ran o ffens — o bosib am lecyn wedi ei amgylchynu gan fath arbennig o ffens amddiffynnol. Daeth hwnnw'n enw lle mewn mwy nag un ardal — Bangor yn Arfon, Bangor (Is-coed) yn ymyl Wrecsam, Bangor Teifi heb fod ymhell o Landysul, a thri neu bedwar o Fangorau eraill na buon nhw erioed yn eglwysi — fel y Maes Bangor yn ymyl Aberystwyth a roddodd ei enw i blwy diweddar Capel Bangor.

Roedd gair *bangor* yn golygu 'plethiad' mewn Llydaweg hefyd. Hwnnw sy'n esbonio enw tref Bangor ar ynys Belle-Isle oddi ar arfordir Llydaw.

Y BARRI

Mae enw tre'r *Barri* yn un anodd i'w esbonio. Y rheswm am hynny ydi fod yna amrywiaeth yn y ffurfiau cynharaf sydd gennym ni mewn hen ddogfennau — ffurfiau'n mynd yn ôl i tua 1200. Weithiau fe gewch chi *Barri* gyda sain *-i* ar y diwedd. Ond weithiau fe gewch chi *Barren*.

Bwriwch am funud mai *Barren* oedd yr enw'n wreiddiol. Fe allai'r *n* ar y diwedd golli. Digwyddodd hynny yn enw Rhos Sulien yng Ngŵyr: collodd yr *n* a rhoi inni *Rhosili*. Petai'r *n* yn Barren wedi colli, fe allai *Barre* yn hawdd newid yn *Barri*. Mae'r newid yn un posib.

Ond beth fuasai ystyr *Barren*? Roedd yna hen air Cymraeg *bar*, gydag *a* fer, yn golygu 'pen, blaen, copa'. Hwn sy'n enw pentre *Crug-y-bar* yn Sir Gaerfyrddin ac yn enw mynyddoedd y *Berwyn*. Gydag *-en* ar ei ddiwedd fe roddai *barren* yn air am fryn neu fryncyn.

Fe allai *Barren* fod yn enw ar y fan lle mae Ynys y Barri. Yn nes ymlaen daeth yn enw ar yr afon sy'n llifo trwy'r dre i *Aberbarri*, enw sy'n cael ei gofnodi gan John Leland yn ei lyfr taith yn 1536-9.

Dyma'r esboniad gewch chi gan y diweddar Melville Richards yn *The Names of Towns and Cities in Britain*, a chan ysgolheigion eraill. Cynnig ydi o sy'n dibynnu ar gredu mai *Barren* oedd ffurf gynharaf yr enw.

Ond beth os mai *Barri* oedd yr enw o'r cychwyn? Mae'n werth cofio wedyn am enw *Ynys Barry* — a Barry Island Farm! — yn ymyl Porthgain yn Sir Benfro. Fe allai'r rhain fod yn enwau Sgandinafaidd, yn mynd yn ôl i'r adeg, fil o flynyddoedd yn ôl, pan oedd y Feicingiaid yn boen a blinder i drigolion glannau môr Cymru.

Y Barri

O ddilyn y trywydd yma byddem yn esbonio'r *Barri* fel enw a roddodd y Sgandinafiaid ar Ynys y Barri, cyfuniad o air Hen Norseg *barr*, yn golygu math o farlys, a'r elfen *ey* 'ynys' a welsom yn Swansea. Hyd y gwela i, does dim modd torri'r ddadl. Hwyrach, yn wir, na ellir byth ei setlo — i sicrwydd.

BERMO A BERFFRO

Abermo meddai'r map, *Y Bermo* meddem ni ar lafar, ond *Mawddach* ydi'r afon sy'n llifo i'r môr yno. Sut mae egluro'r dryswch ymddangosiadol yma?

Dechreuwch hefo *Mawdd* — enw personol, mae'n debyg. Ychwanegwch y terfyniad *wy* ato — y terfyniad *wy* hwnnw sy'n dynodi enw llwyth, neu dir yn perthyn i lwyth, fel yn *Ardudwy* a *Deganwy*. Dyna roi ichi *Mawddwy*, enw cwmwd neu fro a gydiwyd wrth Feirionnydd yn Neddfau Uno 1536-1542.

Roedd *Mawdd* yn enw afon hefyd, a *Mawddach* (neu 'Mawdd bach') yn enw ar un o'i changhennau. Daethpwyd i alw'r fan lle llifai afon Mawdd i'r môr yn *Abermawdd*. Ar lafar fe gollwyd yr *-dd* ar y diwedd, yn union fel y

Bermo

bydd *-dd* ar ddiwedd gair yn colli mewn geiriau fel *gily(dd)* a *myny(dd)* yn siarad pobol Sir Benfro.

Trodd *Abermawdd* yn *Abermaw* gyda'r acen ar yr *e*. Daliodd yr enw i newid neu ddatblygu ar lafar. Newidiodd *-aw* yn *-o-* yr un fath â *dwylaw* yn newid yn *dwylo* — a dyna roi *Abermo*. Collodd yr *a* ar y dechrau hefyd, er bod mymryn o'i hôl yn peri inni dueddu i ddweud *Y Bermo*, yn hytrach na *Bermo*, o hyd.

Ewch yn ôl at *Abermawdd* am funud bach. Yr hen *dd* yna ar y diwedd a barodd i Saeson ynganu'r enw'n *Barmouth*. Y gwir ydi na fu *mouth* 'ceg' erioed yn rhan ohono. *Aber* ydyw, *aber* afon *Mawdd*.

Ym Môn mae afon *Ffraw*. *Ffrawf* oedd enw hon gynt, enw'n golygu llif neu ffrwd, a'r un enw'n union â'r afonydd *Frome* yn Dorset ac yn Sir Henffordd. Enwau Cymraeg sydd ar y rheini yn y bôn.

Galwyd y fan lle llifai afon Ffrawf i'r môr yn Aberffrawf. Ar lafar collodd yr *f* ar y diwedd, newidiodd *aw* yn *o*, a chollwyd yr *a* ar y dechrau. Yn union fel y trodd *Abermawdd* yn *Abermo* ac yn *Bermo*, trodd *Aberffrawf* yn *Aberffro* ac yn *Berffro* — *Y Berffro* ar lafar yn aml iawn.

Mae *Bermo* a *Berffro* yn ffurfiau hollol gymeradwy yn Gymraeg erbyn hyn.

CAERDYDD

Caerdydd ydi enw prifddinas Cymru.

Fe fyddai'n hawdd iawn meddwl mai cyfuniad ydi *Caerdydd* o *caer* 'fort' a'r gair Cymraeg *dydd*. Camgymeriad mawr fyddai hynny ac enghraifft o geisio esbonio enw lle ar sail ei ffurf fel y mae heddiw heb edrych beth oedd yr hen ffurf.

Mae'n wir mai *Caerdydd* ydi'r enw ers dros ddau gant o flynyddoedd. Ond cyn hynny *Caerdyf* ydoedd. Mae un hen fardd Cymraeg yn sôn am fynd

I Gaerdyf ac i'r dafarn.

Esbonio'r ffurf Caerdyf ydi'r dasg i ni, felly.

Gadewch inni gymryd yr enw *Caergybi*, enw Cymraeg *Holyhead*. Ffurfiwyd *Caergybi* o *caer* ac enw'r sant *Cybi*, a'r *c* yn Cybi wedi treiglo yn *g* ar ddechrau ail elfen gair cyfansawdd, yn ôl yr arfer yn Gymraeg. Yn *Caerdyf* mae'n rhaid bod *caer* yn cael ei ddilyn gan ffurf *Tyf*. Ond beth ydi *Tyf*?

Enw'r afon sy'n llifo trwy'r brifddinas ydi *Taf*. Hen ffurf enidol ar taf oedd Tyf. Ystyr *Caerdyf*, felly, oedd caer yr afon Taf, 'the fort of the Taf'.

Ar lafar yn Gymraeg newidiodd *Caerdyf* yn *Caerdydd* — yr *f* (neu *v*) yn newid yn *dd*. Yn Saesneg cadwyd at *Caerdyf* ond gan ynganu'r *f* (neu *v*) Gymraeg fel *f* Saesneg a'i sgrifennu'n *ff*.

Llandaf ydi enw'r eglwys gadeiriol, y *llan* neu'r eglwys wrth afon Taf. Mae Llandaf yn hen, hen enw. Ond mae'n rhaid bod *Caerdyf* yn hŷn fyth. Os ydi o yn cynnwys ffurf enidol *Tyf*, mae'n rhaid ei fod yn mynd yn ôl i gyfnod cynnar iawn yn hanes yr iaith Gymraeg — yn ôl i'r chweched ganrif, efallai.

Caerdydd

CAERFYRDDIN

Y dystiolaeth sgrifenedig gynharaf sydd gennym am enwau lleoedd yng Nghymru ydi ffurfiau ar enwau wedi eu cofnodi gan rai o awduron Groeg a Lladin yr hen fyd.

Dyna'r mathemategydd a'r seryddwr o Alecsandria, Claudius Ptolemaeus neu Ptolemy. Rywdro tua'r flwyddyn 150 Oed Crist fe luniodd ef draethawd mewn Groeg ar Ddaearyddiaeth. Yn hwnnw mae'n cyfeirio at leoedd ym Mhrydain — at *Maridunum*, er enghraifft.

Maridunum, gydag *a* yn y sillaf gyntaf, sydd yn nhraethawd Ptolemy. Ond mae ysgolheigion sy'n arbenigo ar y pethau hyn yn gytûn mai gwall ydi'r *a* am *o* ac mai *Moridunum* oedd yr enw yn iawn.

Moridunum: dyna'r enw mewn Brythoneg, sef y math o iaith Geltaidd oedd yn cael ei siarad ym Mhrydain ddwy fil o flynyddoedd yn ôl, a'r iaith y tyfodd y Gymraeg yn naturiol ohoni.

Gadewch i ni aros am funud hefo'r ffurf *Moridunum*. Fe allwn ei rannu'n ddau air — *mori* a *dunum*. Cymerwch yr ail ran, *dunum*. Gallwn ollwng y terfyniad neu'r gynffon *-um*. Mae hynny'n gadael bôn *dun*, gair sy'n golygu 'caer'. Yn Gymraeg newidiodd y gair *dun* yn *din* — yr un *din* ag sy'n *dinas*. *Mori* wedyn. Gollyngwch y terfyniad *-i*. Dyna adael *mor* — ffurf gynnar ar ein *môr* ni.

Cyfuniad o eiriau'n golygu 'môr' a 'chaer' oedd *Moridunum*. Ei ystyr oedd 'caer wrth y môr' — 'sea fort' yn Saesneg.

Wrth i'r Frythoneg newid yn araf yn Gymraeg, fe newidiodd *Moridunum* yn *Myrddin*. A *Myrddin* ar un adeg yn hanes y Gymraeg oedd enw'r lle a adwaenid fel *Moridunum* yn amser Ptolemy.

Yn ddiweddarach collwyd golwg ar y ffaith fod yr enw *Myrddin* eisoes yn cynnwys o'i fewn air *din* yn golygu 'caer'. Ychwanegwyd y gair *caer* ato — yn ddiangen, ar ryw olwg — a dyna roi bod i'r enw *Caerfyrddin*.

Roedd enwau eraill fel *Caergybi* a *Chaer-gai* yn gyfuniad o *caer* ac enw personol Cybi neu Cai. Daethpwyd i feddwl mai enw felly oedd Caerfyrddin, cyfuniad o *caer* ac enw personol Myrddin. A chysylltwyd traddodiadau am hen fardd a dewin o'r enw Myrddin â'r dref — yn gwbwl ddi-sail.

Ond stori arall ydi stori Myrddin — a Merlin, a stori a gymerai lyfryn cyfan i'w holrhain.

CAERNARFON

Yn chwedl 'Branwen' yn y Mabinogi mae Branwen yn anfon aderyn drudwen o Iwerddon i Gymru i ddweud wrth ei brawd mawr sut yr oedd y Gwyddelod yn ei cham-drin a'i chosbi. Croesodd y ddrudwen y môr yn ddiogel a daeth o hyd i Fendigeidfran ynghanol ei gynghorwyr, a hynny, yng ngeiriau'r chwedl, yng 'Nghaer Seint yn Arfon'.

Caer Saint yn Arfon oedd enw Caernarfon adeg sgrifennu chwedl 'Branwen'. Roedd hynny, wrth gwrs, cyn codi'r castell mawr Normanaidd ar y cei y gwyddom ni amdano.

Yr hen gaer, cyn castell Edward, oedd caer y Rhufeiniaid ar y bryn yn ymyl eglwys Llanbeblig — caer *Segontium* i chi a minnau heddiw, ond *Caer Saint* (neu *Caer Seint*) i'n cyndadau.

Ie, *Segontium* i'r Rhufeiniaid. Pan ddaethon nhw i Eryri gynta fe gymerson nhw enw afon yn iaith y Brythoniaid yn enw ar y gaer a godwyd ganddyn nhw. *Segonti* oedd yr enw hwnnw, enw'n cynnwys y bôn *seg* ac yn golygu 'llifo'n gryf', efallai. Yr un bôn *seg* Celtaidd sydd ar ddechrau enw tref Siguenza yn Sbaen, rhwng Madrid a Zaragoza.

Gydag amser newidiodd Brythoneg yn Gymraeg. Newidiodd *Segonti* a throi yn *Seint* (neu *Saint*). Galwodd y Cymry gaer y Rhufeiniaid yn *Gaer Seint yn Arfon* ac aber yr afon, lle codwyd castell Edward, yn *Aber-seint* — yn *Aber-sein* ar lafar, o bosib.

Roedd *Caer Seint yn Arfon* yn glamp o enw. Y cam naturiol nesa oedd ei gywasgu. Daeth yn *Caer yn Arfon*, ac ar lafar yn un gair *Caernarfon*. Erbyn heddiw fe'i cywasgwyd eto, yn llafar, yn *Cnarfon*.

Mae un broblem fach i haneswyr iaith ynglŷn â'r esboniad yma. Fel arfer

Caernarfon

mae *s* ar ddechrau gair Brythoneg yn rhoi *h* yn Gymraeg. Roedd afon o'r enw *Sabrina* mewn Brythoneg. Yn Saesneg rhoddodd yr enw *Severn*, gyda'r *s* yn aros. Yn Gymraeg newidiodd, yn ôl teithi rheolaidd yr iaith, yn *Hafren*.

O *Segonti*, yn ôl y patrwm arferol yma, gallesid disgwyl mai *Haint* fyddai enw'r afon. Ond *Saint* ydyw. Pam y gwahaniaeth? Un ateb posib ydi fod ffurf debyg i *Segonti* wedi bod yn rhan o iaith feunyddiol pobol yn siarad Lladin yng Nghaernarfon yn ddigon hir i gadw'r *s* ddechreuol.

Am Afon *Saint* y soniais i yn ddieithriad hyd yma, ac nid am Afon *Seiont*. Y gwir ydi mai ffurf ddysgedig artiffisial ar sail Segontium ydi *Seiont*.

CASNEWYDD

Y ffurf gynharaf sydd gennym ar enw'r dref yng Ngwent ydi *Novus Burgus* mewn dogfen o'r flwyddyn 1138. Ffurf Lladin ydi hon, wrth gwrs, yn cynnwys *novus* 'newydd' a Lladineiddiad o air Hen Saesneg *burh* yn golygu 'tref'.

Tu ôl i *Novus Burgus* y ddogfen roedd enw Saesneg *Newburh*, sef y dref newydd a sefydlwyd gan y Normaniaid. Yr un elfennau *new* a *burh* a roddodd ei henw i Newbury yn Berkshire; tref newydd a sefydlwyd yn adeg y Normaniaid oedd honno hefyd.

Yn achos y dref yng Ngwent disodlwyd yr ail elfen *burh* yn weddol gynnar gan air *port* i roi Newport. Tref neu dref farchnad oedd ystyr *port* yn yr achos hwn, yn union fel yn Newport ar Ynys Wyth, ac yn ail ran enw Stockport.

Castell Newydd ar Wysg oedd yr enw yn Gymraeg. Dyna gewch chi wedi ei sgrifennu chwe chan mlynedd yn ôl. Ar lafar talfyrrwyd *Castell* ar ddechrau'r enw yn *Cas*. Aeth *Castell Newydd* yn *Casnewydd*, yn union fel yr aeth *Castell Gwent* yn *Cas-gwent, Castell Llwchwr* yn *Casllwchwr*, a *Chastell Mael* yn Sir Benfro yn *Cas-mael*.

Newport hefyd ydi'r enw Saesneg ar Drefdraeth yn Sir Benfro. Mae'n anodd bod yn bendant beth oedd ystyr *port* yn yr enw yma. Fe allai olygu 'tref' neu 'farchnad'. Fe allai hefyd fod yn *port* 'porthladd', fel yn Portsmouth. Yn achos *Newport* Gwent go brin bod amheuaeth. Mae hen ffurfiau'r enw'n dangos mai *port* yn golygu 'tref, marchnad' sydd yma.

CASTELL NEDD

Afon a roddodd ei henw i dre *Castell-nedd*, fel i Gaerdydd. Ac fel yn achos Caerdydd, mae enw'r afon yn hen, hen enw, yn mynd yn ôl dros ddwy fil o flynyddoedd. Mae gennym dystiolaeth y Rhufeiniaid dros hynny.

Roedd yn arfer gan y Rhufeiniaid lunio rhestrau o ffyrdd yr Ymerodraeth, rhyw fath o gasetîr cynnar yn enwi trefi a chaerau ac yn nodi faint o filltiroedd oedd rhyngddyn nhw. Un o'r gasetirau hyn ydi Itinerarium. . .Antonini, neu Deithiadur Antonine, a luniwyd rywdro rhwng 200 a 300 Oed Crist, mae'n debyg.

Un o'r teithiau yn Nheithiadur Antonine ydi'r daith o Viroconium neu Wroxeter, yn ymyl Amwythig, i lawr i Gaerllïon ac ar draws i Gaerfyrddin. Ar y daith cyfeirir at *Nido* (neu *Nidum*).

Nidum oedd enw'r Rhufeiniaid ar eu caer ar lan afon *Nida*. A *Nida*? Dyna oedd enw'r afon gan y trigolion lleol mewn Brythoneg, yr iaith y tyfodd y Gymraeg ohoni. Gydag amser, wrth i Frythoneg droi'n Gymraeg, newidiodd *Nida* yn *Nedd* — collodd y terfyniad *-a* ar y diwedd ond gadawodd ei hôl ar yr *i* a'i throi'n *e*, a meddalwyd *d* rhwng dwy lafariad yn *dd*.

Ond beth oedd ystyr *Nedd* neu *Nida*? Does neb yn gwybod i sicrwydd. Mae'n bosib mai gair Celteg yn golygu 'disglair' ydoedd.

Yr un gair, mae'n debyg, a roddodd ei henw i Afon Nidd yn ardal Ripley yn Sir Efrog ac i Afon Nidda yn ymyl Frankfurt yn yr Almaen — atgof pell am adeg pan oedd pobol yn siarad tafodieithoedd Celtaidd dros rannau helaeth o Ewrop a Phrydain.

Yn ddiweddarach dipyn na chyfnod y Rhufeiniaid codwyd castell ar lan Nedd a daeth y Cymry i alw'r dref a dyfodd o'i gwmpas yn Gastell Nedd. Cai'r Normaniaid a'r Saeson anhawster i ynganu *Nedd* a'u cynnig nhw i gyfleu'r enw Cymraeg ydi ffurfiau fel *Neth, Neeth* a *Neath* sy'n digwydd mewn dogfennau.

CORWEN

Mae'n demtasiwn edrych ar enw *Corwen* a gweld yr ansoddair *gwen — gwyn* yn ail elfen ynddo. Ond camgymryd yn llwyr fyddai dilyn y trywydd hwnnw.

Mae'r ffurfiau sgrifenedig cynharaf i gyd yn gytûn mai *Corfaen* oedd yr enw — *Corvaen* mewn dogfennau eglwysig o 1254 a 1291, er enghraifft; *Coruayn* yn 1309. *Maen*, ydi'r ail ran, felly — yr un *maen* ag yn *Maentwrog, maen* neu 'garreg' sy'n coffau'r sant Twrog.

Mae *f* ac *w* ynghanol gair yn ymgyfnewid yn Gymraeg weithiau. Sôn am *gawod* o law a wna i; sôn am *gafod* y bydd eraill. Newidiodd *Corfaen* yn *Corwaen*, a'r un pryd gwanhaodd *ae* yn y sillaf olaf ddiacen yn *e*. Erbyn tua 1400 *Corwen* oedd ffurf yr enw ar lafar ac mewn ysgrifen.

Beth am y *cor* ar ei ddechrau? Gall *cor* olygu bychan, fel yn *corrach* 'dyn bychan'. Fe allasai *Corfaen* olygu 'maen bychan', fel *corbys* 'pys bychan'. Yn Llyfr Eseciel yn y Beibl mae sôn am wneud bara o 'wenith a haidd a ffa a ffacbys a milet a *chorbys*' — 'lentils' yn y Beibl Saesneg.

Ond mae ystyron eraill i *cor* neu *côr*. Gall olygu cangell neu gysegr mewn eglwys yn ogystal â'r rhan o feudy neu stabl lle clymir anifeiliaid. Byddai'r ystyr eglwysig yn taro i'r dim yn enw *Corfaen* neu *Corwen*, fel ym Maentwrog. Maen yn nodi llecyn cysegredig fyddai'r *corfaen* a roddodd i'r lle ei enw i ddechrau.

CRICIETH

Crukeith, wedi ei sillafu fel yna, ydi'r ffurf gynharaf a welais i ar enw Cricieth. Fe'i cofnodwyd yn 1273 neu 1274, cyn dyddiau Edward I a chodi'r castell Normanaidd.

U, sylwch, ac nid *i*, oedd y llafariad yn y rhan gyntaf. Dyna ddweud wrthym mai'r gair *crug* yn golygu 'bryncyn' oedd elfen gyntaf yr enw, yr un *crug* ag yn Crucywel a Crucadarn ac yn rhan olaf yr Wyddgrug.

Ceith neu *caith* oedd yr ail elfen. Lluosog *caeth* oedd *caith*, hynny ydi 'gwŷr caethion' — naill ai deiliaid oedd yn rhwym i'r tir ac heb freintiau (*bondmen* yn Saesneg) neu o bosib carcharorion. Mae Brut y Tywysogion yn dweud wrthym i Ddafydd mab Llywelyn Fawr yn 1239 garcharu ei frawd Gruffudd 'yng Nghruceith': fe fu'r bryncyn neu'r crug yn garchar.

Gydag amser aeth *Cruceith* yn *Crucieith*, gydag *i* yn magu yng nghesail *c* ar lafar — fel yn *ciapten* am *capten*. Yn ddiweddarach aeth *Crucieith* yn *Cricieith* — yr *u* yn newid yn *i* dan ddylanwad y sain *i* sy'n ei dilyn. Ac yna erbyn 1600 aeth *Cricieith* yn *Cricieth*.

Yn achos *Cricieth* mae tystiolaeth ffurfiau mewn hen gofnodion yn ei gwneud hi'n weddol hawdd inni olrhain sut y newidiodd yr enw. Ond sut y dylid sillafu'r enw? Sawl *c* ddylai fod yn ei ganol? Un a sgrifennais i yn yr ysgrif yma. Dwy meddai rhai o bobol dda'r dreflan.

Y gwir ydi fod yna tua 40 o wahanol ffyrdd o sillafu'r enw ar draws y canrifoedd. Fe gewch chi *c* a *k* am y sain *c* ar ei ddechrau; *c, k, cc, ck* a hyd yn oed *kk* am yr *c* yn ei ganol; *t* yn ogystal ag *th* am yr *th* ar ei ddiwedd; ac amrywiadau eraill wrth ddynodi'r llafariaid.

Dydi hynny ddim yn beth od o gwbwl. Mae clercod, amryw ohonyn nhw'n estroniaid, wedi cael trafferth i sgrifennu enwau Cymraeg ar hyd y canrifoedd. A pheth cymharol ddiweddar fu safoni orgraff y Gymraeg — hynny ydi, setlo ar ffordd safonol gytûn o sillafu.

Fe wnaed hynny gan Syr John Morris-Jones a'i gydysgolheigion tua dechrau'r ganrif yma. Cytunwyd i sgrifennu un *c* ac un *m* bob amser, hyd yn oed os oedd yr *c* neu'r *m* rheini yn seinegol fanwl yn gytseiniaid dwbwl. *Cricieth* gydag un *c* sy'n gywir, felly. Does dim dadlau ynghylch hynny. Mympwy, a dim byd arall, ydi mynnu sgrifennu *Criccieth*.

CRUCYWEL

Gwelais esbonio enw *Crucywel* fel *Crug-yr-awel*. Mae hynny'n hollol ddi-sail.

Mae'r ffurfiau cynharaf sydd ar gael — Crikhoel yn 1263, Crukhowell yn 1281 — yn dweud eu stori'n ddigon clir. Cyfuniad sydd yma o enw cyffredin *crug* a'r enw personol *Hywel* ar ei ôl. Mewn hen ddogfennau o'r oesoedd canol fe gewch chi sgrifennu Hywel yn *Hoel* a *Hoell* yn aml iawn.

Mae ystyr *crug* yn ddigon clir. Gall olygu bryncyn neu bonc. Gall olygu pentwr, fel yn y ffurf '*cricin* o bobl' a glywir am bentwr o bobl yn y De. Gall *crug* hefyd olygu carnedd — yn Saesneg 'cairn' neu 'mound' — ac yn yr ystyr yma mae'n digwydd yn aml fel enw ar fryncyn lle mae olion cynhanesyddol.

Yn achos *Crug Hywel* mae'r *h* ar ddechrau *Hywel* wedi peri caledu'r *g* ar ddiwedd *crug* i roi *Cruc Hywel* neu *Crucywel*. Digwyddai caledu tebyg pan ddeuai gair yn dechrau gyda *c* ar ôl *crug*. Y *Crug Cadarn*, er enghraifft: aeth hwnnw'n *Crucadarn*, enw lle arall ym Mrycheiniog. Does dim rheswm o gwbwl dros sillafu'r enwau hyn yn *crick*!

Gyda llaw, y gair Cymraeg (neu Frythoneg) *crug* sydd yn enw pentre Crich yn ymyl Derby ac yn ail ran enw Penkridge rhwng Stafford a Wolverhampton. Pen-crug ydi Penkridge yn y bôn.

CYDWELI

John Leland, hynafiaethydd o Sais, a oedd yn byw tua pedwar cant a hanner o flynyddoedd yn ôl, ydi'r cynta i geisio esbonio enw Cydweli. Mae Leland yn sôn am *Kidwely* neu *Cathgweli*. Mae'n cymryd mai *gwely* ydi ail ran yr enw ac mai'r gair *cath* oedd y rhan gyntaf. Yn ôl Leland roedd cath arbennig wedi gwneud ei gwely mewn derwen yma. Galwyd y lle'n *Cathgwely* ac aeth *Cathgwely* yn y man yn *Cedwely* a *Cidwely*.

Mae Leland ar gyfeiliorn yn llwyr, meddech chi. Ydi, siŵr. Ond llawn mor ddi-sail ydi esboniad arall poblogaidd a glywir o hyd, sef mai *cyd* a *gwely* sydd yma — *cyd-wely* am fod y dre'n gorwedd rhwng gwely afon Gwendraeth Fawr a gwely Gwendraeth Fach. Y gwir plaen ydi nad oes a wnelo'r enw ddim oll â gwely o unrhyw fath.

Cydweli

Cetgueli, wedi ei sillafu fel yna, ydi'r ffurf gynharaf ar yr enw sydd ar gael. Mae'n hen ffurf, wedi ei chofnodi dros fil o flynyddoedd yn ôl. A'r adeg honno enw ydoedd ar gwmwd neu ddarn o wlad.

Mae cofio mai enw ar ddarn o wlad ydoedd yn wreiddiol yn bwysig wrth ei esbonio. Gallwn weld wedyn mai'r hyn sydd yma ydi'r enw personol *Cadwal* a'r terfyniad *-i* a ychwanegid at enw personol weithiau i ddynodi tir y person hwnnw.

Parai'r *-i* ychwanegol i'r ddwy *a* yn Cadwal newid yn *e*: hynny ydi, âi *Cadwal+i* yn *Cedweli*. Ystyr *Cedweli* fyddai tir yn perthyn i Cadwal a'i ddisgynyddion.

Yr un math o enw ydi *Ceri*, enw cwmwd neu ran o wlad ym Mhowys. Tir rhywun o'r enw Car oedd hwn yn wreiddiol. Pan ychwanegwyd *-i* at Car, newidiai'n naturiol yn *Ceri*.

Mae enwau fel hyn lle mae'r terfyniad *-i* wedi ei ychwanegu at enw person i roi enw ar ran o wlad yn hen, hen enwau, yn mynd yn ôl i gyfnod eitha cynnar yn hanes y Gymraeg.

Enw ar ddarn o wlad oedd *Cedweli* i ddechrau, felly — *Cetgueli* yn ôl hen,

hen ffordd o sillafu. Yn ddiweddarach y daeth yn enw tref, ar ôl codi'r castell Normanaidd.

Cedweli ydi ffurf draddodiadol gywir yr enw, gydag *e* yn dilyn *c*. Ar lafar tueddwn i'w ynganu'n *Cydweli* a chan fod y ffurf honno'n cael ei sgrifennu ers dros bum can mlynedd mae arfer yn ddadl ddigonol dros ei derbyn.

DINBYCH; DINBYCH-Y-PYSGOD

Yr un ydi'r *din* ar ddechrau *Dinbych* a'r *din* sy'n rhan o'r gair *dinas*. Heddiw, tref fawr wedi ei breinio trwy siarter ydi *dinas*. Ond hen, hen ystyr *din* a *dinas* oedd caer neu amddiffynfa, man diogel i lechu ynddo — dinas noddfa o le mewn gwirionedd.

Lle felly mewn rhyw hen oes oedd Dinorben a Dinorwig, Dinas Emrys a Dinas Powys, a sawl *din* a *dinas* arall yng Nghymru. Dyna hefyd, yn wreiddiol, oedd Dundee a Dunfermline, Dumfries a Dumbarton yn yr Alban: yn y rhain mae gair Gwyddeleg neu Aeleg *dun*, cefnder cyfan i'n *din* ni.

Dinbych-y-pysgod

Ond pam *Dinbych*? Mae yna hen stori liwgar am anifail peryglus o'r enw *Bych* a fu unwaith yn blino trigolion Din-bych. Lol, rwy'n ofni — lol difyr ddigon — ydi'r stori honno, er bod John Williams yn *Ancient and Modern Denbigh* yn ei hadrodd fel petai'n wirionedd.

Mae'r esboniad iawn ar *bych* yn *Dinbych* yn llawer symlach. Yr un ydi o â'r *bych* yn yr ansoddair cyffredin *bychan*. Caer fechan ydi ystyr *Dinbych*.

Dinbych ydi hen ffurf yr enw. Ar lafar aeth yn *Dinbech* ac yn *Dimbech*, gyda'r *n* o flaen *b* yn magu sain *m*, yn union fel yn Dumbarton yr Alban, o *Dun Breatann*, sef caer y Brython. Brythoniaid, neu Gymry, oedd yn byw yn ardal Dumbarton a Glasgow ar un adeg, cofiwch.

Denbigh ydi'r ffurf yn Saesneg. Mae'r *gh* yn honno yn cynrychioli sain *ch* ysgafn a glywid erstalwm byd yn Saesneg. Colli wnaeth yr *ch* ysgafn honno. A *Denbi* (neu *Denby*) a ddywedir yn Saesneg ers hydion bellach.

Mae *Dinbych* arall yn Nyfed. *Tynebegh* ydi'r ffurf mewn dogfen o 1292. Yma, yn Saesneg, caledwyd y *d* ar y dechrau yn *t* — yn union fel yn *Tintern* o *Dindyrn*. Ond yn Nyfed collwyd pob arlliw o'r *-gh* (neu'r *ch*) ar y diwedd, a *Tenby* ydi'r ffurf lafar a sgrifenedig. Yn Gymraeg dyma *Ddinbych-y-pysgod*, y gaer fechan ar lan y môr y mae ar gael gerdd o'r nawfed ganrif yn sôn amdani.

Y GELLI GANDRYLL

'The Haye. The vulgar Welsh call this town Y Gelhy', meddai'r awdur o Sais a sgrifennodd hanes taith swyddogol Dug Beaufort trwy Gymru yn haf 1684.

Mae *Hay* yn hen enw, yn mynd yn ôl fil o flynyddoedd a mwy. Enw Saesneg ydi o, sef yr hen air Saesneg *hay* — perthynas i *hedge*, ac i *haw* ar ddechrau 'hawthorn' — yn golygu gwrych neu ffens. Fe ddefnyddid *hay* hefyd i gyfeirio'n arbennig at ran o goedwig oedd wedi cael ei hamgau â gwrych neu ffens ar gyfer hela, ac mae'n eitha posib mai dyma oedd yr ystyr yn *Hay* Brycheiniog.

Dyna *Hay*, felly, yn ddigon tebyg ei ystyr i *Gelli* yn Gymraeg, oherwydd gair yn golygu llwyn o goed neu goedwig fechan ydi *celli*.

Mae'n hawdd deall pam y galwyd *celli* arbennig ym mhlwy Maentwrog ym Meirionnydd yn *Gellilydan* neu *gelli* arall ym Morgannwg yn *Gellionnen*. Ond beth am y *Gelli Gandryll*?

Darn o rywbeth ydi *dryll*. *Candryll* ydi cant o ddarnau. Malu rhywbeth yn gandryll ydi ei falu'n dipiau, a gwylltio'n gandryll ydi gwylltio'n racs jibiders ulw. Fe allai y *Gelli Gandryll* fod yn enw ar ddarn o goedwig oedd wedi cael ei malu'n ysgyrion.

Ond mae *dryll* hefyd yn Gymraeg yn air am ddarn bychan o dir. Mae'n digwydd yn aml iawn yn nogfennau cyfreithiol y bymthegfed a'r unfed ganrif ar bymtheg i gyfeirio at leiniau arbennig, mewn oes cyn bod caeau rhwng gwrychoedd.

Tybed na allai *candryll* fod yn air am ddaliad o gant o leiniau? Mi hoffwn i feddwl mai dyna ydi'r ystyr yn enw *Plas Candryll* yn Amlwch, ac nid plas neu dŷ mawr wedi ei falu'n ddarnau.

Gall *dryll* olygu gwn saethu hefyd, meddech. Gall, siŵr iawn. Fe'i cawsom trwy gyfieithu *piece* Saesneg mewn cyd-destun fel 'fowling piece'. Ond go brin mai *dryll* 'gwn' sydd yn y Gelli Gandryll.

HWLFFORDD

Wrth gythru ar draws gwlad mewn car ac mewn tren, mae'n anodd i ni heddiw ddirnad mor bwysig oedd rhydau i groesi afonydd.

Mae enwau lleoedd yn ein hatgoffa am y faith syml hon. Meddyliwch am eiliad faint o enwau lleoedd Cymraeg y gwyddoch chi amdanyn nhw sy'n dechrau yn *Rhyd* neu enwau Saesneg sy'n diweddu yn *ford*.

Un o'r enwau hyn ydi *Haverfordwest. Ford* 'rhyd' ydi calon yr enw, gyda'r gair Hen Saesneg *haefer* 'bwch gafr' o'i flaen. *Haverford* — hynny ydi, Rhyd-y-carw — oedd yr enw a roddodd y Saeson ar y fan hon lle'r oedd hi'n bosib rhydio afon Cleddau Wen. O ran ystyr mae'n enw digon tebyg i *Hertford* i'r gogledd o Lundain — o *hart* 'carw' a *ford*.

Ar lafar y Cymry aeth *Haverford* yn *Hawrffordd* ac yna'n *Hawlffordd* a *Hwlffordd*. Trodd yr *r* ynghanol yr enw yn *l*, newid sy'n gallu digwydd pan ddaw dwy *r* yn agos at ei gilydd mewn gair. Yr un math o newid a barodd i *corner* a *dresser* y Saesneg droi'n *cornel* a *dresel* yn Gymraeg.

Aeth *ford* ar y diwedd yn *ffordd* yn Haverford: Hwlffordd, yn union fel yn Hereford: Henffordd. Yn wir, benthyg o'r gair Saesneg *ford* 'rhyd' ydi'n gair *ffordd* ni. Mae'n hen, hen fenthyg ac yn tanlinellu pwysigrwydd rhydau o ran teithio a ffyrdd mewn hen oes.

LLANRWST

Mae *Llanrwst* yn un o lawer iawn o enwau lleoedd yng Nghymru sy'n dechrau gyda *llan*.

Darn o dir oedd ystyr y gair *llan* ar y dechrau. Mae'n hen air sy'n mynd yn ôl i Frythoneg, yr hen iaith y tyfodd y Gymraeg ohoni, a chyn hynny i Gelteg, mam y Frythoneg. Yn y pen-draw yr un gair ydi o yn ei darddiad a'r enw *Landes* yn ne Ffrainc a'r gair *land* yn Saesneg.

Yn Gymraeg daeth *llan* i olygu darn o dir wedi cael ei gau i mewn ar gyfer cadw rhywbeth yn ddiogel. Dyna ydi o yn *perllan*, darn o dir ar gyfer tyfu coed afalau pêr, ac yn *gwinllan*, darn o dir ar gyfer tyfu gwinwydd.

Daeth *llan* hefyd yn air yn Gymraeg am ddarn o dir wedi ei gau i mewn a'i gysegru gan un o'r seintiau Cristnogol cynnar ar gyfer codi eglwys, ac ar ôl hynny wedyn yn air yn golygu eglwys. Dyna ydi ei ystyr y rhan amlaf mewn enwau lleoedd.

Yn aml iawn bydd enw sant cynnar yn dilyn *llan*, a'r gytsain ar ddechrau enw'r sant yn treiglo am ei fod yn ail elfen gair cyfansawdd — y sant Teilo yn Llandeilo, Tudno yn Llandudno, etc. Peidiwch â holi gormod am hanes y

Llanrwst

seintiau cynnar yma. Ychydig iawn, iawn yr ydym ni yn ei wybod am y rhan fwyaf ohonyn nhw.

A *Llanrwst*? *Llanwrwst* oedd yr hen ffurf ar yr enw — *llan* 'tir wedi ei gysegru, eglwys' ac enw sant *Gwrwst*. Mae'r enw *Gwrwst* yn Gymraeg yn cyfateb i *Fergus* mewn Gwyddeleg. Ond ni wyddom ni ddim bron am Gwrwst.

MACHYNLLETH

Faint ohonoch chi, tybed, a sylwodd ar garej ym Machynlleth o'r enw *Maglona*? Petaech chi'n holi pobol y dre am yr enw, mae'n eitha posib y buasai rhywun yn dweud wrthych mai *Maglona* oedd yr hen enw ar Fachynlleth gan y Rhufeiniaid.

Mae yna gred i'r perwyl hwnnw. Fe'i hadroddir gan yr hanesydd o Sais, William Camden, yn y llyfr mawr a sgrifennodd ef am Brydain bedwar can mlynedd yn ôl. Fe'i hailadroddwyd lawer gwaith wedyn.

Does dim rhithyn o sail drosti. Roedd yna gaer Rufeinig o'r enw Maglona ym Mhrydain, mae'n wir, ond rywle yng ngogledd Prydain yr oedd honno —

rywle tua Chaerliwelydd neu Carlisle, yn ôl barn ysgolheigion heddiw.

Mae'r *ma* neu'r *mag* ar ddechrau *Maglona* yr un yn union â'r *ma* ar ddechrau *Machynlleth*. Hen air Brythoneg yn golygu 'gwastadedd, tir agored' ydi o.

Dydi *ma*, ar ei ben ei hun fel yna, ddim yn air yn y Gymraeg heddiw, ond hefo'r terfyniad *-es* ar ei ôl mae'n aros yn *maes*. Mae'n aros hefyd, wedi ei dreiglo'n *fa*, yn *porfa* 'tir agored i anifeiliaid ei bori', yn *morfa* 'gwastadedd ger y môr', etc.

Enw ar wastadedd agored ar lan afon Dyfi ydi *Machynlleth*, felly. Ar un adeg roedd y gwastadedd hwn yn eiddo i rywun o'r enw *Cynllaith* ac fe ddaethpwyd i alw'r lle yn *Machynllaith*.

Yn nhafodiaith y rhan hon o Gymru mae *ai* ar lafar yn mynd yn *e* mewn sillaf olaf — *gobaith*, er enghraifft, yn cael ei ynganu'n *gobeth*. Aeth *Machynllaith* yn *Machynlleth*.

Sylwch hefyd fod *c* ar ddechrau *Cynllaith* yn cael ei threiglo'n llaes yn *ch*. Digwyddodd yr un peth yn yr enw *Mechain*, enw hen gantref ym Mhowys. Gwastadedd lle rhed afon Cain ydi ystyr yr enw hwnnw — *ma-Cain* yn mynd yn *Machain* neu'n *Mechain*.

Machynlleth

Enwau lleoedd eraill yn y rhan yma o Gymru yn dechrau gyda *ma* ydi *Mathafarn, Mathrafal* a *Mallwyd*. Maes rhyw dafarn neu'i gilydd oedd *Mathafarn*, meddai Syr Ifor Williams. Mae hynny'n wir, dim ond inni gofio mai ystyr *tafarn* oedd man lle gwerthid unrhyw fath o nwyddau — nid dim ond bwyd a diod.

Roedd *tryfal* neu *trafal* yn air am ddarn triongl o dir yng nghydiad dwy afon. Mae'n disgrifio i'r dim safle *Mathrafal*, y maes neu'r gwastadedd rhwng afonydd Efyrnwy a Banw lle'r oedd prif lys brenhinoedd Powys. A *Mallwyd*? Gallai hwnnw fod yn faes llwyd neu'n dir gwastad yn perthyn i rywun o'r enw Llwyd.

MERTHYR, BASALEG, RADUR

Merthyr, gydag *m* fach ar ei ddechrau, ydi'r gair Cymraeg am rywun sy'n diodde hyd at angau dros ei argyhoeddiadau. Yn fwy arbennig, mae'r gair *merthyr*, yn hanesyddol, yn golygu rhywun a ddioddefodd hyd farw dros Gristnogaeth. Ond mae gofyn pwyllo ychydig cyn neidio i gasgliad fod *Merthyr* fel enw lle — *Merthyr* gydag *m* fawr — yn cyfeirio at fan lle cafodd rhywun ei ferthyru.

Roedd ystyr arall i'r gair *merthyr*. Yn ogystal â bod yn air am berson a fu farw am wrthod gwadu Cristnogaeth, roedd *merthyr* hefyd yn air am adeilad a godwyd mewn hen oes yn ymyl bedd rhyw arweinydd Cristnogol lleol.

Yr ail ystyr yma sydd i Merthyr mewn mwy nag un enw lle yng Nghymru — er enghraifft, yn *Merthyr Cynog* ar odreon Epynt ym Mrycheiniog ac yn *Merthyr Mawr* — Merthyr Myfor gynt — yn ymyl Ogwr ym Mro Morgannwg. Yn y rhain cyfeirio y mae Merthyr at adeilad neu eglwys fechan a godwyd uwchben bedd Cynog a Myfor neu ynteu at fynwent a gysegrwyd â'u hesgyrn. Yr un ydi'r ystyr yn *Merthyr Caffo*, hen ffurf ar enw Llangaffo ym *Môn*. A dyna ydi'r esboniad ar enw *Merthyr Tudful:* man claddu sant neu santes o'r enw Tudful neu fan lle credid bod ei hesgyrn.

Gair a fenthycwyd i'r Gymraeg o'r Lladin ydi *merthyr* yn yr ystyr yma — benthyg o *martyrium*. Mae'n un o amryw o eiriau Lladin a fenthycwyd mewn cyfnod cynnar am wahanol fathau o adeiladau Cristnogol. Dyna'r gair *eglwys* ei hun sy'n dod o'r Lladin *ecclesia*. *Basilica* y Lladin wedyn: hwnnw a roddodd y gair Cymraeg sy'n enw *Basaleg* yn ymyl Casnewydd. Un arall ydi *oratorium* yn Lladin a roddodd 'oratory' am gapel bach yn Saesneg. Ffurf ar hwn sy'n enw *Radur* ar gyrion Caerdydd.

NANTLLE

Nantlle, fel yna, ydi'r enw a welir ar arwyddion. *Nantlle*, neu *Nanlle*, a ddywedir ar lafar. Ond *Nantlleu* ydi'r enw yn ei ffurf lawn: hynny ydi, *Nant Lleu*, ac mae hynny, yn syth, yn awgrymu pob math o gysylltiadau.

Lleu ydi enw'r cymeriad canolog ym Mhedwaredd Gainc y Mabinogi. Yn y chwedl hen honno adroddir amdano, ar ôl cael ei fradychu gan ei wraig

Dyffryn Nantlle

Blodeuwedd, yn troi'n eryr ac yn hedfan ymaith. Daw Gwydion y dewin o hyd iddo mewn coeden dderw yn Nyffryn Nantlle a'i droi'n ôl yn ddyn.

Mae enw *Lleu* yn ddiddorol. Yr un gair ydi o yn y gwraidd â'r *lleu* sydd yn rhan gyntaf *lleuad* ac yn ail ran *golau*. Mae'n golygu 'goleuni'. Olrheiniwch y gair yn ei ôl i'r Frythoneg, yr iaith Geltaidd y tyfodd y Gymraeg ohoni, ac ymhellach na hynny eto i'r tafodieithoedd Celtaidd a siaredid dros rannau helaeth o Ewrop cyn y Rhufeiniaid, ac fe ddowch chi at ffurf *lug* — gair cytras â *lux*, y gair am oleuni yn Lladin.

Un o dduwiau pwysica'r hen Geltiaid oedd *Lugus*, duw goleuni. Pan fyddai'r Celtiaid hyn yn enwi caer neu dre bwysig, yn aml fe'i galwent ar enw'r duw yma; fe'i galwent yn 'ddinas Lleu' neu'n hytrach, yn ôl arfer eu hiaith nhw ar y pryd, yn *Lugudunum*.

Roedd mwy nag un *Lugudunum* ar y cyfandir. Wrth i iaith y wlad newid dros gannoedd ar gannoedd o flynyddoedd, newidiai'r enw *Lugudunum* hefyd. Yn ne Ffrainc trôdd yn *Lyon*, yng ngogledd Ffrainc yn *Laon*, ac yn Holand yn *Leyden*. Caerau wedi eu cysegru i dduw Celtaidd *Lugus* (neu *Lleu*) ydi pob un o'r dinasoedd hynny yn eu cychwyn.

Ewch yn ôl at *Lugudunum* am funud. Fe ddywedais fod *lug* wedi troi'n *lleu* yn Gymraeg. Trodd *dun* yn *din*, fel yn *dinas*. Petai yna *Lugudunum* yng Nghymru, buasech yn disgwyl iddo droi'n Lleuddin. Cymerwch yr enw hwnnw a throi ei rannau o chwith a dyna ichi *Dinlleu*. Mae hen gaer Dinas Dinlle yn ymyl Caernarfon, heb fod ymhell o Nantlle.

Mae enwau lleoedd yn aml yn siarad cyfrolau. Mae enwau fel *Nantlle* a *Dinas Dinlle*, yn sicr, yn gwneud hynny. Maen nhw'n sibrwd wrthym am hen dduw Celtaidd *Lleu* yr oedd ein cyndeidiau ddwy fil a hanner o flynyddoedd yn ôl yn parchu ei ddoniau.

PENARTH

Dim ond ychydig dros gant o bobol oedd yn byw ym mhlwy Penarth ym 1851. Heddiw mae yno dref o 25,000.

Pen-arth ydi ynganiad yr enw, gyda'r pwyslais ar yr ail sillaf *arth*. O gofio hynny, fe ellid meddwl am enwau lleoedd eraill fel Pen-march a Phen-tyrch (*pen* + ffurf ar y gair *twrch*) lle mae enw anifail yn dilyn *pen*. Ystyr *Penarth* wedyn fyddai trwyn o dir yn edrych yn debyg i ben arth neu fan lle'r oedd yna ar un adeg ben arth yn arwydd neu'n dotem.

Byddai'n anodd gwrthbrofi'r cynnig hwn ar egluro'r enw. Ac eto mae yna esboniad arall mwy tebygol, sef mai'r cyfan ydi enw Penarth ydi gair Cymraeg am drwyn o dir neu benrhyn. Yn ei eiriadur mawr Lladin-Cymraeg mae Thomas Wiliems, Trefriw (1545/6-1622) yn rhoi ar gyfer y gair Lladin *promontorium* 'penrhyn, morben, pennarth, penfro, penmaen, bryn a fo yn ymestyn i'r môr'.

Dyna inni *pennarth* gyda'r acen ar y sillaf gyntaf, yn union fel yn *Pèntir, Pènmaen, Pènfro*. Ond fe allai aceniad *pen* + enw genidol unsill fod yn llac weithiau — fel yn *Pen-àrth*. Cyfuniad ydi'r gair o *pen* a *garth* 'cefnen o dir, penrhyn, pentir o fryn' neu weithiau 'allt goediog'.

Dyma'r *garth* sydd yn *Talgarth* (talcen yr allt neu'r gefnen), yn *Tre-garth* yn Arfon, ac yn *Sycharth*. Yr un gair *garth*, gyda'r sain *i* yn weddill yr hen *g*, sydd yn *Peniarth* a *Llwydiarth*.

Ar y trywydd hwn, mae'n debyg, y mae esbonio enw *Penarth* Morgannwg — mai *pen* + penrhyn ydyw, gair yn cynnwys dwy elfen gyfystyr, ac yn ddisgrifiad daearyddol syml o'r trwyn tir amlwg.

PENFRO

Enw cantref oedd Penfro, enw darn o wlad yn ne Dyfed. Daeth enw'r cantref yn enw castell a thre ymhen amser. Ar yr olwg gyntaf mae'n edrych yn enw digon syml — *pen* a *bro* wedi eu clymu'n air cyfansawdd. Ond mae mwy iddo nag sy'n ymddangos.

Dyna'r elfen *pen* ar ei ddechrau. Gall *pen* mewn enwau lleoedd olygu 'un pen i rywbeth' — *Pen-y-bont* neu *Pen-y-sarn*, er enghraifft. Yn yr enwau yma mae *pen* yn debyg iawn i *Tal* o ran ystyr.

Gall olygu top neu ben uchaf, fel yn *Pen-bre* 'pen y bryn' ac yn

Penfro

Penlle'rbrain Abertawe — *Pentyle'rbrain* yn gynharach, lle mae *tyle*'n air y De am riw neu fryncyn.

Ond fe allai *pen* ar ddechrau enw olygu penrhyn neu bentir hefyd. Dyma ydi o yn *Penmon*, trwyn o dir ar gongl Môn. Dyna ydi o yn *Pen Llŷn*, yr enw Cymraeg am yr hyn y mae daearyddwyr Saesneg yn ei alw'n 'Llŷn Peninsula'.

Byddai *pen* 'penrhyn' yn taro i'r dim i ddisgrifio *Penfro*, y trwyn tir i'r de o aber y ddwy afon Cleddau. A'r *fro* y mae Penfro yn bentir iddi? *Bro* yn golygu iseldir, o bosib, sef gwastatir gwaelodion Dyfed.

Pembroke ydi'r enw yn Saesneg. Mae'n ffurf ddiddorol am ei bod yn cadw cof am hen ffurf Gymraeg *Penfro*. Rhywbeth tebyg i *Penbrog* oedd yr enw mewn Hen Gymraeg tua mil a hanner o flynyddoedd yn ôl.

Dywed ysgolheigion iaith wrthym fod y sain *g* ar y diwedd wedi diflannu erbyn y flwyddyn 800, fan bella. Mae enw fel *Malvern* yn Lloegr, o Moelfryn 'bryn moel' mewn Cymraeg Cynnar, yn dangos *b* wedi newid yn *f* (neu *v*) yn gynnar iawn hefyd.

Sut, felly, y cadwyd cof am y *b* a'r *g* yn y ffurf Saesneg *Pembroke*? Yr ateb mwyaf tebygol ydi mai ffurf sgrifenedig mewn orgraff hynafol a roddodd fod i *Pembroke*, ac nid ffurf fyw ar yr enw a glywyd gan y Saeson cyntaf i ddod i Ddyfed.

Mae'n hawdd egluro'r *m* yn lle *n* yn *Pembroke*. Mae *n* yn tueddu i droi'n *m* o flaen *b*, fel yn *Lampeter* am Llanbedr — Llambed ar lafar.

PENTYRCH

Mae mwy nag un *Pentyrch*. Mae pentre *Pen-tyrch* (yn cael ei ynganu fel yna) ar gyrion Caerdydd. Mae yna *Bentyrch* yn ardal Llanfair Caereinion ym Maldwyn. Mae hefyd *Bentyrch* a mynydd o'r enw *Garn Bentyrch* yn Eifionydd. Ac yng Ngwent, yn ardal Dyndyrn neu Tintern, mae fferm o'r enw *Penteri* heddiw: *Pen-tyrch* oedd yr hen ffurf ar ei henw. Mae'r rhain i gyd yn hen, hen enwau, yn mynd yn ôl ymhell i'r Oesoedd Canol. Mae sôn amdanyn nhw mewn dogfennau o 1300-1350.

Pen + ffurf ar y gair *twrch*, sef mochyn gwyllt, sydd yma. Ond pam y ffurf *tyrch*? Yn gynharach yn y llyfryn hwn fe soniais am *Gaerdydd* a dweud mai *Tyf* yn ffurf enidol ar *Taf* oedd ail elfen yr enw ar y cychwyn — hynny ydi, mai ystyr wreiddiol Caerdydd oedd 'the fort of the Taf'.

Mae ffurfiant *Pentyrch* yn debyg. Hen ffurf enidol ar *twrch* oedd *tyrch*. Felly, ystyr *Pentyrch* yn y dechrau oedd 'pen y twrch' — yn Saesneg 'boar's head'.

Fe ellid cymryd mai disgrifio rhyw nodwedd ddaearyddol y mae enwau fel *Pentyrch* — fod bryncyn neu graig sy'n debyg ei siap i ben mochyn neu faedd lle bynnag y cewch chi'r enw. Ac fe ellid egluro *Pen-houch* (Pen-hwch) yn Llydaw a *Swinehead* yn Lloegr yn yr un ffordd. Ond mae ysgolheigion diweddar yn tueddu at esboniad arall, gwahanol.

Ganrifoedd lawer yn ôl byddai pobol cantref neu ardal yn ymgynnull mewn un man arbennig ar gyfer cyfarfodydd yn yr awyragored. Yn y mannau cyfarfod hynny roedd hi'n arfer gosod pen anifail ar bolyn — fel polyn totem. Mae'n debygol iawn mai pen twrch ar bolyn yn nodi man cyfarfod cynnar oedd ym mhob un o'r pedwar *Pentyrch* neu *Ben-tyrch* yng Nghymru.

Y BONT-FAEN; PEN-Y-BONT

Welais i erioed lyfr yn rhoi hanes pontydd Cymru. Nid sôn am bontydd mawr trawiadol fel Pont Hafren a Phont y Borth yr ydw i wrth ddweud hyn, ond meddwl yn hytrach am y cannoedd o bontydd llawer llai a hŷn oedd yn ei gwneud hi'n bosib i'n hynafiaid ni erstalwm deithio ar draws gwlad i farchnad ac i ffair.

Un ffynhonnell ddefnyddiol wrth geisio gwneud map o'r hen bontydd hyn ydi enwau lleoedd sy'n dechrau hefo'r gair *Pont* — enwau fel *Pen-y-bont ar Ogwr* a'r *Bont-faen*, er enghraifft.

Roedd yna bont yn ardal y Bont-faen sbel dros saith gant o flynyddoedd yn ôl, rywle tua'r fan lle'r oedd yr hen ffordd Rufeinig o Gaerdydd i

Gastell-nedd yn croesi Afon Ddawan. Mewn dogfennau o 1262-1263 fe gyfeirir at y lle wrth yr enw *Covbruge/Coubrigge*, hen ffurfiau Saesneg ar *Cowbridge*, pont y fuwch.

Sut bont oedd hi, ys gwn i, a pham y galwyd hi'n Cowbridge? Wn i mo'r ateb. Ond o'i chwmpas hi fe dyfodd tref a oedd yn y bedwaredd ganrif ar ddeg yn un o'r trefi mwyaf yng Nghymru. Yn ddiweddarach fe godwyd pont arall, un garreg. A hon a roddodd inni'r enw Cymraeg, *Y Bont-faen*. Mae'r enw hwnnw'n digwydd o tua 1500.

Mae *Pen-y-bont ar Ogwr* yn fengach lle na'r Bont-faen o gryn dipyn. Yn yr Oesoedd Canol doedd dim sôn amdano. Roedd dau sefydliad neu bentref — Newcastle tua'r gorllewin a Nolton neu Oldcastle tua'r dwyrain, a'r afon Ogwr rhyngddyn.

Rywdro tua 1435 neu'n fuan wedyn fe godwyd pont bedwar bwa. Yn y man codwyd ychydig o dai wrth ei phen ddwyreiniol a daethpwyd i alw'r tai rheini'n *Bridgend* ac yn *Ben-y-bont*. Lle bychan ydoedd hyd at y diwydiannu ar ôl 1820. Ar ôl hynny fe dyfodd *Pen-y-bont* yn gyflym gan lyncu Newcastle a Nolton.

PONTYPŴL; PONTYPRIDD

Ar yr wyneb mae *Pontypŵl* a *Phontypridd* yn edrych yr un math o enwau: cyfuniad o *pont* + geiryn *y* + elfen arall unsill. Ond mewn gwirionedd camarweiniol ydi'r tebygrwydd.

Mi wn i fod rhai wedi cynnig mai ffurf lwgwr ar Pont ap Hywel ydi Pontypwl, ond does dim rhithyn o sail dros awgrymu hynny.

Cyfuniad syml ydi *Pontypŵl* o *pont* ac *y* a'r gair Saesneg 'pool'. Y bont lle roedd 'pool' ydi'r ystyr, a'r 'pool' yn cyfeirio at bwll yn Afon Lwyd, mae'n debyg.

Beth am *Bontypridd*? Y peth cyntaf i'w nodi ydi nad *pont* + *y* + *pridd* sydd yma. *Pont-y-tŷ-pridd* ydi hen ffurf yr enw — mewn dogfennau o tua 1700, er enghraifft. Roedd tŷ a'i waliau wedi eu gwneud o bridd yn sefyll yn ymyl un pen i'r bont a'r tŷ hwnnw a roddodd i'r hen bont dros Afon Taf ei henw.

Ceisiwch ynganu *Pont-y-tŷ-pridd* yn weddol gyflym. Yn anochel rydych yn cywasgu'r canol ac yn dweud *Pontypridd*.

Rhwng 1746 a 1755 cododd William Edwards, y gweinidog Annibynnol, bont newydd yma — y bont un bwa drawiadol ac enwog. Yn naturiol roedd rhai'n galw'r bont newydd hon yn *New Bridge* ac fe allasai *Newbridge* yn hawdd fod wedi dod yn enw ar y dref a grynhodd yma. Nid dyma a ddigwyddodd — am fod yna Newbridge arall, mae'n debyg — a'r enw *Pontypridd* a oroesodd.

PORTHAETHWY

Pont y Borth a ddaw'n naturiol i mi wrth sôn am bont enwog Thomas Telford dros y Fenai. Pont y Borth a glywais i yn blentyn. Pont y Borth a ddywedodd pobol Sir Fôn o'r adeg y gorffennwyd codi'r bont yn 1826. *Y Borth* yn siarad y Monwyson ydi'r enw am dre *Porthaethwy*.

Saeson a alwodd y bont yn Menai Bridge ac ymestyn yr enw hwnnw wedyn yn enw newydd ar Borthaethwy. Enw diweddar ydi *Menai Bridge*, felly — rhyw gant a hanner oed fan bella. Mae Porthaethwy yn hŷn o tua mil a hanner o flynyddoedd.

Ar yr olwg gynta cyfuniad ydi o o *porth* ac ail elfen *Aethwy*. Felly y syniai rhai yn y ganrif ddiwetha. Ac felly, pan rannwyd Môn yn 1894 yn ddosbarthau llywodraeth leol, fe alwyd un o'r rhaniadau dosbarth yn *Aethwy*. Ond, mewn gwirionedd, enw hollol ffug oedd Aethwy.

Yr hen enw ar y rhan yma o Fôn yn yr Oesoedd Canol oedd *Dindaethwy*. Cyfuniad oedd *Dindaethwy* o *din* 'caer' — a welsom yn Dinbych — ac enw *Daethwy*. A *Daethwy*? Mae hwnnw'n un o'r hen enwau cynnar Cymraeg yn diweddu yn *-wy* oedd yn enw llwyth o bobol neu'n enw darn o dir yn perthyn i lwyth arbennig. Enghraifft arall oedd *Deganwy*, sef tir y bobol a alwai'r Rhufeiniaid yn Decanae.

Daethwy oedd enw llwyth o Frythoniaid oedd yn byw ar lannau Menai. Enw'r gaer oedd yn ganolfan iddyn nhw oedd *Dindaethwy* — y gaer a elwir yn Dinas yn ymyl Plas Cadnant, mae'n debyg.

Rhan o gyfoeth y bobol yma oedd y lle croesi o Fôn drosodd i'r tir mawr yn Arfon. Daethpwyd i alw'r lle croesi hwnnw'n *Borthddaethwy*. Ar lafar llyncid yr *dd* yn yr *th* oedd yn ei rhagflaenu. Aeth *Porthddaethwy* yn naturiol yn *Porthaethwy*, a'i gwtogi wedyn yn *Borth* wrth sgwrsio. Hon, wedi'r cwbwl, oedd y borthfa bwysica dros Fenai.

PORTH-CAWL

Pwy fuasai'n meddwl mai'r un gair ydi'r *cawl* yn enw *Porth-cawl* â'r *cawl* y byddwn ni'n ei fwyta i ginio. Ond dyna'r gwir ichi. Gair benthyg ydi *cawl* yn Gymraeg o'r Lladin *caulis*, gair am goesyn bresych neu gabaetsen. Yr un gair Lladin yn y pen-draw a roddodd i'r Saesneg y *cauli* yn 'cauliflower', y *cole* yn 'cole-slaw', a'r gair *kale* hefyd.

Yn Gymraeg golygai *cawl* fresych neu gabaetsen. Daeth hefyd yn air am fath o botes yn cynnwys y planhigyn yma.

Mae yna blanhigyn arall y bydd y Saeson yn ei alw'n 'sea kale', planhigyn sy'n tyfu ar ymyl traethau. Yn ei *Welsh Botanology*, 1813 mae Hugh Davies yn dweud fod hwn i'w gael ar y traeth ym Mhenmon a Llanddona, ond mae'n ychwanegu mai planhigyn gweddol brin ydoedd.

Mae'n rhaid fod llawnder o 'sea kale' yn tyfu ar lan y môr yn y Drenewydd yn Notais ym Morgannwg. *Cawl* neu *gawl môr* oedd yr enw arno. Daethpwyd i alw'r borthfa neu'r traeth lle'r oedd llawer o'r *cawl* môr yma yn *Borth-cawl* — yn union y galwyd traeth yn Llanfwrog ym Môn yn *Borthdelysg* am fod math o wymon bwytadwy o'r enw delysg i'w gael yno. Gyda llaw, mae coesyn cawl môr yn flasus, meddir, i'w fwyta.

Porth-cawl

PRESTATYN

Mae Prestatyn ar riniog Dyffryn Clwyd, bum milltir ar hugain dda o Gaer a'r ffin rhwng Cymru a Lloegr. Go brin y disgwyliech chi enw Saesneg dros fil o flynyddoedd yn ôl mewn lle felly, ac eto dyna sydd yma. Enw Saesneg, neu'n hytrach ffurf Gymraeg ar enw Hen Saesneg, ydi *Prestatyn*.

Mae'n mynd yn ôl i *Preosta-tun* mewn Hen Saesneg — *preosta* yn enw lluosog yn golygu 'offeiriaid' a *tun* yn golygu 'stad' neu 'fferm'. *Tun*, gyda llaw, ydi un o'r elfennau sy'n digwydd amlaf mewn enwau lleoedd Saesneg — yn Bolton, Brighton, Luton, Walton, etc.

Yn y seithfed a'r wythfed ganrif ymwthiodd Saeson Mercia i mewn i ogledd-ddwyrain Cymru — i ardal Wrecsam ac ar hyd Afon Alun i gyfeiriad yr Wyddgrug, ac ar hyd y glannau o Gaer am Benarlâg a Phrestatyn. Olion yr ymwthio cynnar hwnnw ydi hen enwau Saesneg fel Wrecsam, Mold, Northop a Hawarden. Dyna ydi *Prestatyn* hefyd. Rhoddwyd tir yn y fan honno i offeiriaid, neu i gynnal offeiriaid, a galwyd y tir hwnnw yn *Preosta-tun*, 'fferm yr offeiriaid'.

Digwyddodd rhywbeth tebyg yn Sir Gaerhirfryn wrth aber Afon Ribble.

Sefydlwyd fferm i offeiriaid yno, ond datblygodd y *preosta tun* hwnnw yn naturiol yn *Preston*, yn unol â theithi newid yr iaith Saesneg. Nid felly y digwyddodd hi yng Nghlwyd. *Preosta-tun* oedd yr enw ar y dechrau, gyda'r acen ar y sillaf olaf — ar *tun*.

Ond ynys fechan o Saesneg ynghanol Cymreigrwydd Clwyd oedd *Preosta-tun*, ac yn yr achos yma ynganiad Cyrmaeg a gafodd yr enw.

Golygai hynny roi'r acen, yn ôl patrwm y Gymraeg, ar y sillaf olaf ond un, yn hytrach nag ar y sillaf olaf. Golygai ynganu *Preosta-tun* yn *Prestatyn*, gyda'r acen ar yr *a*. Dyna pam y cadwyd yr *a* a aeth i golli yn *Preston*. A dyna pam y dywedais mai ffurf Gymraeg ar enw Hen Saesneg ydi *Prestatyn*.

RHUDDLAN A RHUTHUN

Yn un o'r croniclau cynharaf sydd wedi eu cadw inni yn ymwneud â hanes Cymru mae sôn dan y flwyddyn 796 am *bellum Rudglann*, neu 'frwydr Rhuddlan'. Am y frwydr hon y tyfodd stori ddiweddarach Cyflafan Morfa Rhuddlan a'r hanes apocryffaidd sy'n honni i'r alaw werin drist 'Morfa

Rhuthun

Rhuddlan' gael ei chyfansoddi yn sgil trechu'r Cymry gan y Saeson yr adeg honno.

Rudglann, sylwer, ydi ffurf yr enw yn yr hen gronicl. Mae'r ffurf gynnar hon o'i sillafu yn dangos yn glir mai cyfuniad ydi o o'r ansoddair *rhudd* 'coch' a'r enw *glan* 'ymyl afon'. Mae'r pridd yn Nyffryn Clwyd yn gochlyd.

Yr un *rhudd* 'coch' sy'n rhan gyntaf enw *Rhuthun* yn uwch i fyny'r dyffryn. Ond beth am ail ran yr enw? Dywedir yn aml mai'r gair *din* 'caer' sydd yma — yr un *din* ag sy'n niwedd *Caerfyrddin*. Dyma'r farn gan Syr J.E. Lloyd yn ei ddwy gyfrol fawr ar hanes Cymru. Mae ef yn sôn am 'the red fort occupying a ridge of red sandstone' — hynny ydi, *Rhuthun* yn ffurf ddiweddarach ar hen *Rhudd-ddin*.

Ond mae yna broblem ynglŷn â'r esboniad yma. Cytsain *dd* feddal sydd ar ddiwedd *rhudd*. Cytsain *dd* feddal fyddai ar ddechrau *ddin* yn ail elfen yn yr enw. Yn awr, ni ddisgwyliem i ddwy sain *dd* fel hyn gyfuno'n *th*, ddim mwy nag y byddai dwy *dd* yn cyfateb i *th* mewn llinell o gynghanedd.

Mae posibilrwydd arall, fel yr awgrymodd Syr Ifor Williams. Gallai *dd* feddal yn cael ei dilyn gan *h* roi sain *th* yn naturiol. Bwriwch, felly, mai *rhudd* + *hin* oedd yma yn y cychwyn. Rhoddai hynny *Rhuthin* i ddechrau, ac yna *Rhuthun* wrth i'r *u* yn y rhan gyntaf fwrw'i lliw ar yr *i* tua'r diwedd.

Roedd yna air *hin* yn Gymraeg mewn cyfnod cynnar yn golygu 'ochr, ymyl, terfyn'. Fe'i gwelir o hyd yn *rhiniog*, gair byw am y pren ar lawr ar draws trothwy drws. Mewn gwirionedd *yr hiniog* ydi *rhiniog*; 'ymyl, terfyn' ydi o. 'Ochr' ydi ei ystyr yn enw *Rhinog Fawr* a'r *Rhinog Fach*, dau fynydd sydd fel dau ystlysbost bob ochr i fwlch Drws Ardudwy ym Meirionnydd.

Ystyr *Rhuthun*, o *Rhudd* + *hin*, fyddai ymyl cochlyd, cyfeiriad at wyneb y graig dywodfaen neu ynteu at lan yr afon. O dderbyn hyn, fe welwn fod *Rhuthun* a *Rhuddlan* yn y bôn yn enwau tebyg iawn eu hystyr.

Y RHYL

Y Rhyl ydi un o drefi glan môr mwya poblogaidd y Gogledd. Mae'r enw'n hen enw, yn mynd yn ôl beth bynnag saith gan mlynedd. Mae sôn yn 1301 am *Ryhull*, am *del Hull* yn 1302, *Hullhouse* yn 1351, *Yrhill* yn 1578, *Tre-r-hyll* yn 1612, *Rhyll* yn 1660.

Y gair Saesneg *hill* yn golygu bryn neu fryncyn sydd yma, yn ôl pob tebyg — yn ei ffurf Hen Saesneg *hyll* neu ynteu yn un o'i ffurfiau Saesneg Canol. Gallwn ei gymharu, felly, â'r *hull* yn *Solihull* yn ymyl Birmingham. *Hull* yn ffurf ar *hill* sydd yn hwnnw.

Ond arhoswch funud, meddai rhai ohonoch. Mae'r *hull* yn Solihull yn cyfeirio at eitha bryncyn — y bryn i'r de o'r eglwys. Gwastadedd fflat sydd lle mae *Rhyl* y Gogledd, heb fryncyn ar ei gyfyl. Ie, yn ddaearyddol. Ond cyn gwrthod yr esboniad uchod, ystyriwch hyn — fe allai *hyll* neu *hull* y Saesneg olygu codiad tir eitha bychan ar ganol gwastadedd.

Mae'n bosib mai dyna'r ystyr wreiddiol yn *Rhyl* y Gogledd. Fe gyfeiriai y Saeson dŵad cynnar ar godiad tir tuag aber afon Clwyd fel *hull* ac yn y man daeth *Hull* yn enw ar y llecyn. Mabwysiadwyd yr enw *Hull* gan y Cymry oedd yn byw yn yr ardal ac ychwanegwyd y fannod *yr* Gymraeg o'i flaen. Aeth *Hull* yn *Yr hull* neu *Yr hill* ac yna'n *Rhyl* — hynny ydi, yn enw Saesneg wedi ei led-Gymreigio.

Mae yna enghreifftiau eraill o *r* y fannod yn cydio wrth ddechrau enwau lleoedd. Dyna enw pentre *Rachub* yn ymyl Bethesda, er enghraifft. Y gair *achub* yn golygu gafael o dir ydi cychwyn yr enw Rachub. Galwyd y darn tir hwnnw yn *Yr Achub* ac ar lafar cywasgwyd *Yr Achub* yn *Rachub*.

RHYMNI

Enw afon ydi *Rhymni*. Mae'n codi ar Fynydd Llangynidr, yn llifo i lawr y cwm heibio tre Rhymni, yna ymlaen heibio Bargod a Bedwas, ac i'r môr ger Rumney, ychydig i'r dwyrain o Gaerdydd.

Y gair *rhwmp* sydd yma, mae'n debyg — gair am fath o ebill neu wimbled fawr i dorri twll mewn coed. Mae'r afon fel ebill, fel *rhwmp*, yn tyllu ei ffordd trwy'r tir.

Gair arall am erfyn tebyg oedd *taradr* — 'piecer, auger' yn ôl Geiriadur Spurrell. Mae yna afon o'r enw *Taradr* yn Sir Henffordd.

Mae enghreifftiau eraill o eiriau am offer neu arfau yn enwau ar afonydd. Dyna *Cleddau* yn Nyfed — Cleddau Wen a Chleddau Ddu — ac afon lai o'r enw *Cyllell* sy'n llifo i Gleddau Wen yn Hwlffordd: 'a little riveret called in Welsh *Cyllell*, in English *Knife*' yn ôl yr hynafiaethydd Saesneg John Leland.

Roedd yna air *gelau* yn Gymraeg yn golygu llafn cleddyf neu waywffon; mae enghreifftiau ohono yn yr hen farddoniaeth wrth sôn am ryfel. Daeth hwn yn enw ar afon yn yr hen Sir Ddinbych. Yng Nghlwyd mae *au* ar ddiwedd gair yn cael ei ynganu'n *e*. Aeth *Gelau* yn *Gele* a dyna enw'r afon sy'n llifo i'r môr yn Abergele. Yn achos *Cleddau, Cyllell* a *Gele* fe all yr enw ddisgrifio afonydd sy'n gul ac yn disgleirio'n loyw.

Ond dowch yn ôl am funud at *Rhymni*. Yr afon hon a roddodd ei henw i eglwys a phlwy yn ymyl Caerdydd — *ecclesia de Rempney* mewn dogfen yn 1291, tref *Rumney* heddiw. Yn Gymraeg dyma *Dredelerch, tre* neu fferm rhywun o'r enw Telerch ar ryw adeg erstalwm. Yna, yn y ganrif ddiwethaf, rhoddodd yr afon ei henw eto i'r dre newydd *Rhymni* a dyfodd o gwmpas y gweithfeydd haearn ym mhen uchaf y cwm, ugain milltir i'r gogledd o *Rumney* neu Dredelerch.

Y TRALLWNG

Trallwn neu *Trallwm* a glywch chi ar lafar, ond *Trallwng* sydd ar arwyddion ffyrdd ac ar fapiau. A'r ffurf hon, gydag *ng* ar ei diwedd, sy'n egluro ystyr yr enw.

Y gair *llwng*, ffurf amrywiol ar *llwnc* sydd yma. Gair am y corn gwddw ydi *llwnc* heddiw, neu air am hynny o ddiod y medr rhywun ei lyncu ar un tro. Ond fe soniwn ni hefyd am dir yn llyncu dŵr, ac ar hyd y trywydd hwnnw y mae gofyn meddwl er mwyn esbonio *Trallwng*.

Y Trallwng

Gall *tra* ar ddechrau gair gryfhau ei ystyr. Er enghraifft, dyna ichi *traffwll* yn Llyn Traffwll yn ymyl y Fali ym Môn, y llyn y canodd Cynan amdano yn ei gerdd 'Anfon y Nico'. Y gair *pwll* gyda *tra* o'i flaen ydi'r enw *Traffwll.*

Rhewch *tra* o flaen *llwng* a dyna ichi *Trallwng* am le sy'n llyncu dŵr — naill ai bwll neu le gwlyb lleidiog. Rwy'n hoffi diffiniad Thomas Richards, Llangrallo yn ei eiriadur. *Trallwng*, meddai ef, ydi 'such a soft place on the road (or elsewhere) as travellers may be apt to sink into, a dirty pool.'

Lle felly oedd safle'r Trallwng erstalwm. Daeth y Saeson a chyfieithu'r enw yn gywir ddigon yn *Pool*. Mae *La Pole* yn digwydd yn y drydedd ganrif ar ddeg mewn dogfennau. Yn ddiweddarach ychwanegwyd *Welsh* ar y dechrau i roi *Welshpool*.

TREFYCLO A LLANANDRAS

Trefi'r ffin ydi Llanandras a Threfyclo — Presteigne a Knighton yn Saesneg. Mae enw *Trefyclo* yn dweud hynny yn ddigon croyw. *Trefyclawdd* oedd yr hen ffurf — hynny ydi, y dref a oedd yn llythrennol ar Glawdd Offa.

Tref-y-clawdd mewn tair rhan oedd yr enw ar y dechrau, mae'n debyg, ond gydag amser daethpwyd i'w ynganu'n un gair gyda'r acen ar yr *y*, yn ôl arfer y Gymraeg o roi'r acen ar y sillaf olaf ond un. Y cam naturiol wedyn ar lafar oedd colli'r sain *dd* feddal ar y diwedd a seinio'r *aw* yn *o*. Aeth *Trefyclawdd* yn *Trefyclo*, yn union fel yr aeth *Abermawdd* yn *Abermo* neu'n *Bermo*.

Knighton ydi'r enw yn Saesneg — hen, hen enw sy'n mynd yn ôl fil o flynyddoedd. Cyfuniad ydi hwn o ddau air Hen Saesneg — *cniht* yn golygu 'gwas' neu 'filwr' a'r gair *tun* 'fferm' a roddodd *ton* ar ddiwedd cynifer o enwau lleoedd Saesneg.

'Tref y gweision' oedd ystyr *Knighton* yn wreiddiol. Gyda llaw, yr un gair Saesneg *cniht* — hen ffurf y gair 'knight' — a roddodd i fynydd y *Cnicht* ym Meirionnydd ei enw. Mae siap hwnnw'n debyg i helmed marchog.

A *Presteigne?* Yn y ffurf *Presthemede* y cofnodwyd hwn yn 1278 — hynny ydi, gydag *m*, ac nid *n*, yn ei ran olaf. *Preost*, ffurf Hen Saesneg ar *priest* 'offeiriad', ydi'r elfen gyntaf. *Haemed* oedd yr ail elfen, ffurf Hen Saesneg ar y gair *hâm* — *home* yn ddiweddarach — a'r terfyniad *ed*. Ystyr *preost — haemed* neu *Presthemede* oedd 'tŷ'r offeiriad', ystyr debyg iawn i *Prestatyn* a *Preston*. Ar lafar yn Saesneg newidiodd *Presthemede* yn *Presteigne* gydag amser.

Llanandras ydi'r enw yn Gymraeg — *llan* 'eglwys' ac *Andras* neu *Andreas*, enw brawd Simon Pedr a'r cyntaf o'r disgyblion yn ôl yr Efengylau. Roedd *Andreas* yn sant poblogaidd iawn yn yr Oesoedd Canol. Ef ydi'r *Andrew* a ddaeth yn nawddsant yr Alban. Yn Lloegr mae dros 600 o eglwysi wedi eu cysegru iddo. Yng Nghymru fe'i coffeir yn enw plwy *St. Andrews* neu *Saint Andras* yn ardal Dinas Powys, yn ogystal ag yn *Llanandras* ym Maesyfed.

Mae enwau *llannau* sy'n cynnwys enwau seintiau Beiblaidd fel arfer yn fwy diweddar na'r rheini sy'n cynnwys seintiau Cymraeg fel Dewi, Teilo, Tudno, Elli, etc.

WRECSAM

Wrecsam ydi'r dref fwyaf yng ngogledd Cymru. Mae'n dref y mae gen i ddiddordeb personol ynddi: yn Wrecsam y cefais i fy ngeni.

Dyna fi eisoes wedi sgrifennu'r enw ddwywaith fel petai'n enw Cymraeg, gan roi *cs* yn ei ganol yn lle *xh* y Saesneg. Mae gen i bob hawl i wneud hynny. Mae ffurf Gymraeg *Gwregsam* yn digwydd mor gynnar â 1291 — saith gant o flynyddoedd yn ôl!

Ond Saesneg ydi'r enw yn ei darddiad. Daeth y Saeson i'r rhan hon yn gynnar. Yn yr wythfed ganrif codwyd Clawdd Wad a Chlawdd Offa i'r gorllewin o safle Wrecsam i nodi ffin teyrnas Seisnig Mercia ac mae'n rhesymol casglu fod enw Wrecsam yn mynd yn ôl i'r cyfnod pell hwnnw, mil o flynyddoedd yn ôl a rhagor, pan oedd Saeson yn ymsefydlu yn yr ardal.

Beth am darddiad yr enw? Mae'n bosib mai gair Hen Saesneg *hamm* yn golygu dôl yn ymyl afon ydi'r rhan olaf — yr un *hamm* ag yn Evesham ac yn West Ham. Dyna oedd barn yr Athro Melville Richards, er enghraifft. Ond mae'n bosib hefyd mai Hen Saesneg *ham* yn golygu sefydliad, pentref — yr un *ham* ag ar ddiwedd Birmingham — sydd yma.

A'r rhan gyntaf? Er bod y ffurfiau cynharaf o sgrifennu'r enw — er enghraifft. *Wristlesham* yn 1161 — yn amrywio tipyn, mae yna gytundeb barn mai enw personol Hen Saesneg *Wryhtel* sydd yma. Enw Hen Saesneg am ddôl neu dir pori da oedd yn eiddo i rywun o'r enw Wryhtel ydi *Wrexham* yn ei gychwyn, felly, neu ynteu enw am ryw fath o bentref Saesneg cynnar a gysylltid â rhyw Wryhtel. Ond er i Saeson feddiannu'r ardal a gadael eu hôl ar enwau lleoedd yno, ni chollodd y Cymry eu gafael. A Chymreigwyd Wrexham yn Gwrecsam.

Mae'r ddwy ffurf ar yr enw — Wrexham a Wrecsam — yn cadw cof am lawer o hen hanes yr ardal hon ar y gororau.

YR WYDDGRUG

Mae'n weddol hawdd egluro enw'r Wyddgrug. Ei ail ran ydi *crug*, gair yn golygu bryncyn neu bonc fel yn *Crucywel*. Wedi ei gydio â *crug* mae'r gair

Yr Wyddgrug

gŵydd yn golygu 'carnedd' ac yn aml 'beddrod' — yn Saesneg 'burial mound'.

Y gair *gŵydd* gyda *ma* 'lle' wedi ei gydio wrtho a roddodd ei enw i'r *Wyddfa*. Carnedd o gerrig ar ben y mynydd ydi'r *wyddfa* yn yr achos yma, carnedd o gerrig yn nodi bedd Rhita Gawr, yn ôl hen stori.

Am mai enw cyffredin ydi *gwyddfa* rhoddir *yr* o'i flaen mewn enw lle. Sôn am *Yr Wyddfa* a wnawn, nid am Gwyddfa. Sôn am *Yr Wyddgrug* a wnawn ni hefyd, er bod pentref o'r enw *Gwyddgrug* yn ymyl Pencader yn Nyfed.

Enw bryncyn ydi *Yr Wyddgrug* yn wreiddiol, felly. A dyna hefyd ydi *Mold*, enw Saesneg y lle. Mewn gwirionedd enw Ffrangeg neu Ffrangeg Normanaidd, ac nid enw Saesneg, ydi hwn. Cyfuniad ydi o yn ei gychwyn o ddau air Ffrangeg — *mont* 'bryn' a *haut* neu *hault* 'uchel'. Aeth *Mont-hault* yn *Montalt* ac yna'n *Moltalt* ac yn nes ymlaen yn *Mohault* a *Mold*. I'r Cymry tomen gladdu go arbennig, *gwyddgrug*, oedd y bryn — Bailey Hill ar y map heddiw. I'r Norman bryn uchel, *Mont hault* ydoedd.

Enw Normanaidd arall yng ngogledd Cymru ydi *Beaumaris*, enw'r dre newydd a gododd y Normaniaid ym Môn. Cyfuniad ydi hwn o ddau air Ffrangeg — *beau* 'hardd' a *mareis* 'tir isel a fydd weithiau dan ddŵr' (yn Saesneg *marsh*). Mae *Beaumaris* yn disgrifio'r tir isel gwastad ar lan y Fenai. I'r Norman saith gan mlynedd yn ôl roedd yn wastatir hardd, yn union fel yr oedd Beaumont yn ymyl Carlisle yn fryn hardd.

Y FLWYDDYN

ENWAU'R MISOEDD

Mewn llythyr a sgrifennodd o Lundain yn 1757 at ei frawd William, mae'r llenor a'r ysgolhaig Lewis Morris yn cynnig, yn hanner cellweirus, mai geiriau gwreiddiol Cymraeg oedd Ionawr, Chwefror, Mawrth ac Ebrill. Ystyr Ionawr oedd 'ia'n awr', meddai Lewis, a 'chwerw oer' oedd Chwefror. Awgrymodd mai 'mis y briallu' oedd Ebrill, ac mai 'mawr wth' oedd Mawrth am mai dyma'r adeg pan ailddechreuid ymosod mewn rhyfel.

Nid dyma'r esboniadau cywir, wrth gwrs. Mae enwau pedwar mis cyntaf y flwyddyn yn Gymraeg, yr un fath ag yn Saesneg, wedi eu benthyg yn syth o'r Lladin.

Dau o dduwiau'r Rhufeiniaid gynt oedd Janus (neu Ianws) a Mars — Ianws, ceidwad drysau a dechreuadau, a Mars, duw rhyfel. Enwyd misoedd ar eu holau yn Lladin yn *Ianuarius mensis* a *Martius mensis*.

Gŵyl bwysig gan y Rhufeiniaid oedd Gŵyl y Puro neu *Februa*, o'r gair Lladin *februo* am buro. Daeth *Februarius mensis* yn enw ar y mis pan ddigwyddai'r ŵyl honno. *Aprilis mensis* oedd enw'r pedwerydd mis, o air Lladin *aperio* yn golygu agor. Dyma'r mis pan oedd natur yn ailagor ar ôl y gaeaf.

Ianuarius, Martius, Aprilis, felly, neu'n hytrach *Ianarius, Martius* ac *Aprilis*, oherwydd yn y math o Ladin llafar a siaredid ym Mhrydain fe ollyngwyd yr *u* yn *Ianuarius*.

Mae'n weddol hawdd gweld sut y rhoddodd y rhain Ionawr, Mawrth ac Ebrill. Collwyd y terfyniadau ar ddiwedd y geiriau Lladin; aeth yr *â* hir ynghanol Ianarius a Martius yn *aw*; parodd yr *i* yn Aprilis i'r *a* ar ei ddechrau newid yn *e*; a newidiodd *p* yn *b, l* yn *ll*, a *rt* yn *rh* — y math o newidiadau a oedd yn digwydd i eiriau Lladin wrth iddyn nhw gael eu mabwysiadu i'r Gymraeg.

Beth am Chwefror? Mae hwnnw fymryn yn wahanol. O'r Lladin *Februarius*, neu'n hytrach o Ladin llafar *Febrarius*, rhyw ffurf fel Ffefrawr a ddisgwyliech. Wedi'r cwbwl, *ffenestr* a gawsom o *fenestra* y Lladin, a *ffa* o *faba*. Fe allech ddisgwyl i *f* y Lladin aros yn *ff* yn Febrarius hefyd.

Ond nid felly bu hi. A dyna'n hatgoffa o ffaith gwerth dal sylw arni, sef nad ydi ieithoedd bob amser yn ymddwyn yn ôl rheolau cyson, pendant. Mae yna o hyd ac o hyd eithriadau. Yn achos *Febrarius* aeth *f* y Lladin yn *hw* i gychwyn yn Gymraeg, ac yna aeth *hw* yn *chw*. Dyna roi inni *Chwefrawr*, a newidiodd yn nes ymlaen yn *Chwefror*. Ond nid ydi'r Gymraeg yn rhy hoff o ddwy *r* yn agos at ei gilydd yn yr un gair. Wrth fenthyg *corner* y Saesneg fe'i troesom yn *cornel*. Gwnaethom yr un peth gyda Chwefror. Ar lafar fe'i troesom yn *Chwefrol*.

Mae'n hawdd egluro enw mis *Mai*. Fel y Saesneg *May*, benthyg ydi o o'r Lladin, o *mensis Maius*, y mis oedd yn cael ei gysylltu â *Maia*, duwies tyfiant ymhlith y Rhufeiniaid.

Mae *Mehefin* a *Gorffennaf* yn wahanol. Enwau Cymraeg ydi'r rheini. Y gair *haf* ydi cnewyllyn enw *Mehefin*. Ar ei ddechrau mae gair neu elfen *me* neu *mai* yn golygu 'canol'. Canol haf, felly, ydi ystyr *Mehefin* — yr haf sy'n dechrau ym mis Mai.

Hen enw arall ar Fai yn Gymraeg oedd *Cyntefin* sy'n cynnwys yr un elfen â *cyntaf*. Dechrau haf oedd ystyr *Cyntefin*.

Cyntefin ceinaf amser,
Trystfawr adar, glas coedydd,

meddai hen gerdd Gymraeg.

Erbyn *Gorffennaf* yr oedd yr haf yn tynnu at ei derfyn. Cyfeirio at hynny y mae enw'r mis: *gorffen haf* ydi o yn llythrennol.

Ac yna *Awst*. Un arall o'r enwau misoedd a fenthyciwyd o'r Lladin ydi hwn — o *Augustus*, enw neu deitl yr Ymherodr Rhufeinig cyntaf. *Sextilis*, sef y chweched mis, oedd enw'r mis hwn gan y Rhufeiniaid. Ac yna yn y flwyddyn 8 Cyn Crist fe'i newidiwyd yn *Augustus*, er anrhydedd i Awgustus Cesar. Y mis hwn, yn ei olwg ef, oedd mis lwcus y flwyddyn. Gyda llaw, roedd mis arall wedi ei enwi'n *Julius* er anrhydedd i Rufeiniwr arall — Julius Cesar. Dyma *July* y Saeson.

Dowch yn ôl am funud at *Augustus*. Pan fenthyciwyd yr enw i Gymraeg collwyd y terfyniad *us*. Diflannodd yr *g* hefyd, yn union fel y diflannodd pan fenthyciwyd *Egyptus* yn *Eifft* — *Aifft* yn ddiweddarach.

Mis *Medi*, meddem, yn Gymraeg, ond *September* yn Saesneg. Gair Lladin ydi *September* yn golygu y seithfed mis, o *septem* 'saith' yn Lladin. Ym mis Mawrth yr oedd y Rhufeiniaid yn dechrau eu blwyddyn. Am hynny September oedd seithfed mis y flwyddyn iddyn nhw.

Mae *Medi* yn hollol wahanol. Mae berf Gymraeg *medi* yn golygu 'torri ŷd'. Mis Medi ydi'r mis pan fydd y ffermwyr yn medi'r cynhaeaf, yn torri ŷd a gwenith ac yn casglu'r cnydau.

Os mai *September* oedd y seithfed mis, ar ei ôl roedd yr wythfed, *October*, o *octo* 'wyth' yn Lladin; yna'r nawfed, *November*, o *novem* 'naw' yn Lladin; ac ar ôl hwnnw *December*, y degfed, o *decem*, 'deg' yn Lladin. Enwau Lladin ydi'r cwbwl.

Beth am *Hydref* a *Tachwedd*? Un esboniad ydi bod *Hydref* yn dod o ffurf gynharach *Hyddfref*, gair am yr adeg ar y flwyddyn pan mae'r hydd neu'r carw yn brefu am ei bartner — 'for in that month the hind desires the male,' meddai un hen eiriadur. Mae'n esboniad diddorol! Ond mae'n well gen i feddwl mai cyfeirio yr oedd *Hydref* at yr adeg pan oedd pobl yn symud o'u cartref dros yr haf — yr hafod — yn ôl i'r *dref* neu'r *hendref*.

A *Tachwedd*? Roedd gair *tachwedd* yn golygu 'lladd'. Tachwedd oedd yr adeg pan fyddai pobol erstalwm yn lladd anifeiliaid er mwyn cael cig ac am nad oedd digon o fwyd i gadw'r anifeiliaid i gyd yn fyw dros y gaeaf.

Erbyn mis Tachwedd mae'r dydd yn mynd yn fyr. Mae'n mynd yn fyrrach ar ôl hynny, hyd at 21 Rhagfyr. Dyna ydi *Rhagfyr*, cyfeiriad at y dyddiau byr.

Cyfrif yn ôl y calendar Rhufeinig sydd wedi rhoi September, October, November, December. Mae'r enwau Cymraeg Medi, Hydref, Tachwedd,

Rhagfyr yn disgrifio'r misoedd a beth oedd yn digwydd ar yr adeg honno ar y flwyddyn.

NADOLIG

Mae esbonio'r gair *Christmas* yn hawdd. Cyfuniad ydi o *Christ* a'r gair Saesneg *mass* yn ei hen ystyr o ddydd gŵyl. Gŵyl Eglwysig i ddathlu geni Crist ydi ystyr *Christmas*.

Beth am ein Nadolig ni? Mae'r stori tu ôl i'r gair hwn yn y bôn yn ddigon tebyg. Cyfeirio at eni Crist y mae yntau.

Benthyg ydi *Nadolig* yn Gymraeg o air *Natalicia* mewn Lladin llafar, hynny ydi, y math o Ladin a oedd ar un adeg yn cael ei siarad ym Mhrydain. Mae'r *t* wedi meddalu yn *d* a'r *c* yn *g*; mae'r *a* hir wedi troi'n *o*, ac mae'r terfyniad *ia* ar y diwedd wedi colli — y math o newidiadau naturiol a ddigwyddai i eiriau Lladin wrth iddyn nhw gael eu benthyg i'r Gymraeg. Ond dydi dweud fod *Nadolig* yn fenthyg o *Natalicia* yn Lladin ddim yn esbonio'r gair. I wneud hynny mae gofyn edrych yn fwy manwl ar y gair Lladin.

Mewn Lladin roedd gair *natus* yn golygu geni. Ansoddair o hwnnw oedd *natalis* a roddodd i'r Saesneg *natal* a *pre-natal*. Amrywiad arall arno oedd *nativus* am rywbeth sy'n rhan ohonom o'n genedigaeth, a dyna darddiad *native* yn Saesneg.

Amrywiad arall ar *natus* oedd *natalicia* am ben-blwydd — am awr neu ddyddiad ein geni. I Gristnogion diwrnod geni Crist, o reidrwydd, oedd y pen-blwydd pwysicaf. Hwnnw oedd *Y Nadolig*.

CALENNIG

Pam, meddech chi, rydan ni'n galw diwrnod cyntaf y flwyddyn yn Galan? Mae'r ateb yn bwrw'n ôl ddwy fil o flynyddoedd a rhagor.

Yn Rhufain yr ymerodraeth roedd hi'n arfer galw'r bobol ynghyd ar ddiwrnod cyntaf pob mis er mwyn i'r offeiriad gyhoeddi wrthyn nhw pa ddyddiau gŵyl yr oedd gofyn eu cadw yn ystod y mis hwnnw. Y gair yn Lladin am alw cyhoeddus fel hyn oedd *calo*, gair o'r un tras â *call* yn Saesneg; o'r un tras â'n *galw* ni hefyd petaem ni'n olrhain hwnnw'n ôl yn ddigon pell. O *calo* fe gafwyd yn Lladin *calendae* yn air am y dyddiau galw neu'r dyddiau cyhoeddi ar ddechrau'r misoedd.

Benthyg o'r Lladin *calendae* — *calandae* mewn Lladin llafar — ydi ein gair ni *calan*. Y diwrnod cyntaf yn y mis oedd ei ystyr. Dyna pam y cewch chi sôn mewn hen destunau Cymraeg am Galan Chwefror, Calan Mawrth, Calan Ebrill, etc. Rydym ni'n sôn am Galan Mai neu Glanmai — Mai 1, ac am Galan Gaeaf neu Glangaea.

Calan Ionawr ydi dechrau'r flwyddyn newydd dan y drefn sydd gennym ni o rannu'r flwyddyn. Hwnnw ydi y calan. Ac i ddymuno'n dda i'n gilydd yn y flwyddyn newydd mi fydd rhai yn rhannu mân anrhegion *calan*. Yr enw am y rheini, yn naturiol, ydi *calennig*.

GŴYL DDEWI

Ar Fawrth 1 mae'r Eglwys yn cofio am farw Dewi. Tu allan i'r Eglwys bydd eraill ohonom yn dathlu ein Gŵyl Genedlaethol.

Beth am yr enw *Dewi*? Fe ddywedai'r rhan fwyaf ohonoch, rwy'n siŵr, mai enw Cymraeg ydyw. Mae hynny'n ddigon gwir, ar ryw olwg, dim ond inni gofio mai ein ffurf ni ar enw Hebraeg ei darddiad ydi o.

Enw'r llanc a laddodd Goliath ac a ddaeth yn frenin ar Israel ydi o yn ei gychwyn. Ac enw a oedd yn wreiddiol yn golygu 'anwylyd' ac yna 'cyfaill'.

Trwy'r Lladin y daeth i'r Gymraeg. Wrth i hynny ddigwydd trodd *Dauid* y Lladin yn naturiol yn *Dewydd*, gyda'r *a* yn newid yn *e* dan ddylanwad yr *i* (yn union fel y trodd Aprilis yn Ebrill).

Yn Nyfed heddiw mae tuedd i *dd* ar ddiwedd gair golli. Mae *newydd* yn mynd yn *newy* ac, yn wir, yn *newi*. Digwyddodd hynny'n gynnar i'r enw *Dewydd*. Ar lafar aeth yn *Dewy* ac yna'n *Dewi*.

Yn ddiweddarach o dipyn benthycwyd yr enw Dauid i'r Gymraeg unwaith eto, y tro hwn yn y ffurf *Dafydd*. Am ei fod yn fenthyciad diweddarach, a mwy dysgedig, mae'r *a* yn aros. A'r ffurf hon, Dafydd, sydd yn y Beibl.

Anaml y mae'r ffurf Dewi yn digwydd yn enw personol ar Gymry yn yr Oesoedd Canol. Roedd Dafydd, ar y llaw arall, yn enw poblogaidd. Dyna Dafydd ab Owain Gwynedd a Dafydd mab Llywelyn Fawr, ymhlith amryw eraill.

Yn y ganrif ddiwetha daeth Dewi yn boblogaidd unwaith eto fel enw barddol ar bobol a fedyddiwyd yn David. Ac yn ein canrif daeth i fri newydd fel enw bedydd.

Ffurfiau anwes neu ffurfiau annwyl ar Dafydd ydi Dai, Dei a Deio. A chyfenwau wedi eu seilio ar Dafydd, neu'n hytrach ar David, ydi Davies, Davis, Davidson, Davidge, Davie, Davy, Dawkins a Dawson.

PASG

Pam yr ydym ni'n galw adeg arbennig ar y flwyddyn yn Basg?

Trowch i'ch Beibl, i lyfr Ecsodus, pennod 12. Yno mae hanes am Dduw yn llefaru wrth yr Israeliaid yn nhir yr Aifft. Mae Duw yn peri i bob teulu yn eu plith gymryd oen gwryw blwydd oed ac ar ddyddiad arbennig — y 14 o fis Nisan — ei ladd, a rhostio ei gig a'i fwyta. Mae hefyd yn gorchymyn i'r Israeliaid gymryd gwaed yr oen a'i daenu ar ddrysau eu tai. Mae Duw'n addo y bydd yn mynd heibio i'r tai yr oedd gwaed ar eu drysau heb niweidio neb yno, ond yn y tai eraill mae'n dweud y bydd yn taro pob cyntaf-anedig yn farw.

Gair yn perthyn i'r digwyddiad yma ydi'r gair *Pasg* yn ei gychwyn, gair yn yr iaith Aramaeg yn cyfeirio at 'fynd heibio' i dai'r Israeliaid heb eu niweidio. O Aramaeg daeth y gair i'r iaith Roeg ac oddi yno i Ladin. Ac o ffurf *pascha* yn Lladin yr Eglwys y benthycwyd y gair Pasg i'r Gymraeg.

Pasg, felly, oedd yr enw ar Ŵyl y Bara Croyw — *Passover* yn Saesneg: yr ŵyl wanwyn Iddewig i gofio gwaredigaeth yr Israeliaid. Daeth hefyd yn enw gan Gristnogion am y dyddiau sanctaidd, tua'r un adeg ar y flwyddyn, pan gofid am groeshoelio Crist a'i atgyfodiad. Crist ydi Oen y Pasg i Gristnogion. O Ladin yr Eglwys y cafodd y Gymraeg y gair *Pasg*, yr un fath â'r gair Nadolig.

Mae'r enw *Easter* yn Saesneg yn hollol wahanol ei darddiad. Daw hwnnw o enw Eostre, duwies baganaidd y wawr, y dethlid ei gŵyl gan y Saeson cynnar adeg cyhydiad (*equinox*) y gwanwyn.

RHESTR ELFENNAU

Cymerwch enw *Cefncoedycymer*, ar gyrion Merthyr. Mater bach ydi ei rannu'n bedwar gair:

cefn + coed + y + cymer

ac yna dangos mai ystyr yr enw ydi 'lle tu cefn i goed oedd yn ymyl cymer (neu fan cyfarfod) dwy afon' — yn yr achos hwn, afonydd Taf Fechan a Thaf Fawr.

Mae'r geiriau *cefn* a *coed* a *cymer* yn digwydd mewn ugeiniau o enwau lleoedd eraill yng Nghymru — *cefn* yn *Cefneithin, coed* yn *Coed-poeth* ac yn *Cyncoed* (o ffurf gynharach *Cefn-coed*), a *cymer* yn *Rhydycymerau*, er enghraifft. Y term am eiriau sy'n digwydd dro ar ôl tro fel hyn mewn enwau lleoedd ydi 'elfennau', ac un o'r prif dasgau sy'n wynebu'r sawl sy'n astudio enwau lleoedd ydi adnabod yr elfennau hyn a diffinio eu hystyr. Un peth a ddaw'n amlwg wrth wneud hynny ydi nad yr un, o reidrwydd, ydi ystyr gair fel elfen mewn enw lle â'i ystyr arferol yn ein sgwrsio heddiw; nid yr un chwaith, o reidrwydd, â'i ystyr mewn geiriadur.

Ar gyfer y rheini sy'n ymddiddori yn enwau lleoedd Lloegr, mae yna Eiriadur Elfennau Enwau Lleoedd yn nwy gyfrol safonol A.H. Smith, *English Place-names Elements*, Caergrawnt, 1956. Ar ben hynny mae rhestrau o elfennau yng nghyfrolau diweddarach yr English Place-name Society. Does dim byd tebyg gennym eto yn Gymraeg. Fe ddaw, ryw ddydd.

Yn dilyn, mae cynnig ar lunio rhestr syml o'r elfennau sy'n digwydd yn yr enwau y sonnir amdanyn nhw yn y llyfryn hwn. Mae'n cynnwys geiriau Hen Saesneg, Hen Norseg (sef hen iaith Norwy), Ffrangeg a Saesneg, yn ogystal, wrth gwrs, â geiriau Cymraeg, a fu'n elfennau wrth lunio rhai enwau lleoedd yng Nghymru.

aber: man (1) lle mae afon yn llifo i'r môr — yn Aberafan, Aberdaugleddau, Aberffraw, Abergele, Abergwaun, Abermo, Abertawe, neu (2) lle mae afon lai yn llifo i afon fwy — yn Aberhonddu.

achub: tir y cymerwyd meddiant ohono — yn Rachub. Cofiwch mai meddiannu oedd hen ystyr *achub*, fel yn yr ymadrodd 'achub y cyfle'.

am-: o gwmpas, yn ymyl, yr ochr arall — yn Amlwch.

bae: glan môr, a chyfieithiad o'r Saesneg *bay*, mewn enwau diweddar fel Bae Colwyn.

bala: man lle mae afon yn llifo o lyn — yn Y Bala, Baladeulyn.

ban, llu. *bannau:* top, copa — yn Tal-y-fan, Bannau Brycheiniog.

bangor: plethwaith o wiail ar dop ffens, ffens amddiffynnol — yn Bangor, Bangor Is-coed, Capel Bangor.

banw: gair am fochyn ifanc sy'n digwydd yn enw ar afon — yn Banw, Aman(w), Ogwen (o Ogfanw).

bar: pen, blaen, copa — yn Crug-y-bar, Berwyn.

bay: Saesneg, glan môr, mewn enwau diweddar fel Colwyn Bay.
beau: Ffrangeg, hardd — yn Beaumaris.
bridge: Saesneg, pont — yn Bridgend, Cowbridge, Menai Bridge, Newbridge.
bro: (1) ardal, tir, cynefin — yn Cymru, Cambria, Cumberland; (2) iseldir, gwastatir — yn Bro Morgannwg, Penfro.
bych: bychan — yn Dinbych, Dinbych-y-pysgod.
caer: lle wedi ei gau i mewn, amddiffynfa — yn Caerdydd, Caerfyrddin, Caer-gai, Caergybi, Caernarfon, Caer-went. Fel *chester* yn Saesneg, mae'n digwydd yn aml yn enwau lleoedd a ystyrid yn drefi Rhufeinig.
caith: gŵyr caeth — yn Cricieth (o Crug-caith).
cas: talfyriad o *castell* — yn Cas-gwent, Casllwchwr, Casnewydd.
castell: yn Castell-nedd.
cawl: planhigyn sy'n tyfu yn ymyl traethau, 'sea kale' yn Saesneg — yn Porthcawl.
celli: coedwig fechan — yn Y Gelli Gandryll, Gellilydan, Gellionnen.
clawdd: wal o bridd a cherrig — yn Trefyclo (o Tref-y-clawdd).
cniht: (*knight* yn ddiweddarach) Saesneg, gwas, milwr — yn Y Cnicht, Knighton.
colwyn: gair am anifail ifanc sy'n digwydd yn enw ar afon — yn Colwyn, Bae Colwyn.
cor: cangell mewn eglwys — yn Corwen.
crug: bryncyn, carnedd — yn Cricieth, Crucadarn, Crucywel, Yr Wyddgrug.
delysg: math o wymon bwytadwy — yn Porthdelysg.
din: hen air am gaer — yn Dinbych, Dinas Dinlle, Caerfyrddin.
dryll: darn bychan o dir — yn Y Gelli Gandryll, Plascandryll.
ey: Hen Norseg, ynys — yn Swansea.
ford: Saesneg, rhyd — yn Haverfordwest.
garth: (1) cefnen o dir, allt goediog — yn Peniarth, Llwydiarth, Talgarth, Tre-garth, Sycharth; (2) penrhyn, pentir o fryn — yn Penarth.
glan: ymyl afon — yn Rhuddlan.
gwlad: tiriogaeth brenin — yn Glamorgan.
gŵydd: carnedd, beddrod — yn Yr Wyddgrug, Yr Wyddfa.
haefer: Hen Saesneg, bwch gafr — yn Haverfordwest.
haemed: Hen Saesneg, tŷ — yn Presteigne.
-ham: Hen Saesneg, sefydliad, pentref — yn Wrecsam, efallai.
-hamm: Hen Saesneg, doldir yn ymyl afon, tir pori — yn Wrecsam, efallai.
hault: Ffrangeg, uchel — yn Mold (o Mont-hault).
hay: Saesneg, gwrych, rhan o goedwig wedi ei hamgau â gwrych — yn Hay-on-Wye.
hill: Saesneg, bryncyn — yn Y Rhyl.
hin: ochr, ymyl — yn Rhuthun.

-i: terfyniad a ychwanegid at enw person i ddisgrifio tiriogaeth y person hwnnw a'i ddisgynyddion — yn Ceri, Cydweli.
-iog: terfyniad a ychwanegid at enw person i ddisgrifio tiriogaeth y person hwnnw a'i ddisgynyddion — yn Brycheiniog.
llan: darn o dir wedi ei gau i mewn a'i gysegru ar gyfer codi eglwys — yn Llanandras, Llandaf, Llanrwst.
llwch, llu. *llychau:* pwll, llyn, lle corsiog — yn Amlwch, Talyllychau.
llwng: lle gwlyb, lleidiog sy'n llyncu dŵr — yn Trallwng.
llydan: mawr ei led — yn Gellilydan.
ma: gwastadedd, maes — yn elfen gyntaf yn Machynlleth, Mallwyd, Mathafarn, Mathrafal, Mechain.
maen: carreg arbennig — yn Maentwrog, Corwen (o Corfaen).
mareis: Ffrangeg, tir isel sydd weithiau dan ddŵr — yn Beaumaris.
mere: Saesneg, llyn — yn Pemblemere.
merthyr: adeilad wedi ei godi yn ymyl bedd sant, neu fynwent lle mae esgyrn sant arbennig — yn Merthyr Tudful.
mont: Ffrangeg, bryn — yn Mold (a Mont-hault).
nant: dyffryn — yn Nantlle.
onnen: math o goeden, 'ash' yn Saesneg — yn Gellionnen.
pen: (1) top, pen uchaf — yn Penlle'rbrain; (2) un pen i rywbeth — yn Pen-y-bont, Pen-y-sarn; (3) penrhyn, pentir — yn Penarth, Penfro, Pen Llŷn, Penmon; (4) pen, yn rhan o gorff — yn Pentyrch.
pont: yn Y Bont-faen, Pontypridd, Pontypŵl, Pen-y-bont.
pool: Saesneg, pwll — yn Pontypŵl, Welshpool.
port: Saesneg, (1) tref, marchnad — yn Newport; (2) porthladd — yn Port Dinorwic, Portmadoc, Portmeirion, Port Talbot.
porth: (1) man lle gellid lansio a glanio cwch — yn Porthaethwy; (2) traeth — yn Porth-cawl, Porthdelysg.
preost, llu. *preosta:* Hen Saesneg, offeiriad — yn Prestatyn, Presteigne.
pwll: pant neu dwll, yn aml yn llawn dŵr — Traffwll.
rhiniog: ochr, ymyl, ffram drws — yn Rhinog Fach, Rhinog Fawr.
rhudd: lliw cochlyd — yn Rhuddlan, Rhuthun.
rhwmp: ebill, erfyn at dorri twll — yn Rhymni.
stow: Saesneg, man, lle — yn Chepstow.
tafarn: tŷ lle gwerthid nwyddau ac yn arbennig bwyd a diod — yn Mathafarn.
tryfal: triangl o dir yng nghydiad dwy afon — yn Mathrafal.
tal: un pen i rywbeth — yn Talyllychau.
tra-: rhagddodiad cadarnhaol ar ddechrau gair yn cryfhau'r ystyr — yn Trallwng, Traffwll.
tref: (1) fferm, cartref teulu — yn Tredelerch; ac yn ddiweddarach (2) tref, 'town' — yn Trefyclo.
-tun: Hen Saesneg, fferm, 'settlement' — yn Knighton, Prestatyn.
tyle: rhiw, bryncyn — yn Penlle'rbrain (o Pentyle'rbrain).
-wg: terfyniad a ychwanegiad at enw person i ddisgrifio tiriogaeth y

person hwnnw a'i ddisgynyddion — yn Morgannwg, Seisyllwg.

-wy: terfyniad yn dynodi enw llwyth neu dir yn perthyn i lwyth — yn Ardudwy, Deganwy, Dindaethwy, Mawddwy, Porthaethwy.

RHAI LLYFRAU

B.G. Charles, *Non-Celtic Place-names in Wales*, Prifysgol Llundain, 1938.

M. Gelling, W.F.H. Nicolaison, M. Richards, *The Names of Towns and Cities in Britain*, Batsford, 1970, arg. newydd 1986.

H.W. Owen, *Enwau Lleoedd*, Y Ganolfan Astudiaethau Addysg, 1990.

Gwynedd O. Pierce, *The Place-names of Dinas Powys*, Gwasg Prifysgol Cymru, 1968.

Gwynedd O. Pierce, 'Mynegbyst i'r Gorffennol', yn Ieuan M. Williams, golygydd, *Bro'r Eisteddfod: Abertawe a'r Cylch*, Gwasg Christopher Davies, 1982.

Melville Richards, 'Enwau lleoedd — tir a gwlad', cyfres o ysgrifau yn *Y Cymro* rhwng 27 Mawrth, 1967 a 27 Mai, 1970.

Enid Roberts, 'Enwau Lleoedd Bro'r Eisteddfod', yn Gwynn ap Gwilym a Richard H. Lewis, golygyddion *Bro'r Eisteddfod: Cyflwyniad i Faldwyn a'i Chyffiniau*, Gwasg Christopher Davies, 1981.

R.J. Thomas, *Enwau Afonydd a Nentydd Cymru*, Gwasg Prifysgol Cymru, 1938.

Ifor Williams, *Enwau Lleoedd*, Gwasg y Brython, Lerpwl, 1956; arg. newydd 1962, 1969.

Mae rhestr lawn o ymdriniaethau ag enwau lleoedd yng Nghymru newydd ymddangos yn Jeffrey Spittal a John Field, *A Reader's Guide to the Place-names of the United Kingdom*, Stamford, 1990, tt. 261-81.

MYNEGAI